Eirug Wyn

Bitsh!

y Lolfa

Argraffiad cyntaf: 2002
Ail argraffiad: 2002

℗ Hawlfraint Eirug Wyn a'r Lolfa Cyf., 2002

Cyhoeddir ar ran llys yr Eisteddfod Genedlaethol

Clawr: Ruth Jên

Rhif Llyfr Rhyngwladol: 0 86243 644 3

Cyhoeddwyd ac argraffwyd yng Nghymru
gan Y Lolfa Cyf., Talybont, Ceredigion SY24 5AP
e-bost ylolfa@ylolfa.com
gwefan ylolfa.com
ffôn (01970) 832 304
ffacs 832 782
isdn 832 813

Bryd hynny, ti angen y gân
i'th gynnal drwy'r oriau mân;
nawdd yn ei nodau rhag y dyrnodau,
a thân, yn ysbryd y gân.

MYRDDIN AP DAFYDD

Pennod 1

Gwasgu botwm ac mae'r sgrin yn goleuo o 'mlaen i. Estyn disg a'i rhoi'n sownd yn ei drôr. 'Clic-clic,' medda'r llygodan. Gola bach gwyrdd, a'r ddisg yn chwyrlïo. Dewis. Wyth ffeil. Yn lle dechreua i? Dwi'n gwbod cyn dewis mai mynd yn ôl i'r chwedega y bydda i. Dwi'n gwbod hefyd mai ffug, neu hannar gwir, yw cynnwys pob ffeil. Ond dydi o ddim ots am hynny. Peth braf ydi camu'n ôl i fyd real breuddwydion, hyd yn oed os ydi o'n fyd o hannar ffantasi a hannar ffaith ac yn fyd o greu dychmygion.

Ond dyna be ydi cof, yntê? Boed hwnnw'n gof un bod dynol, cof cenedl neu gof y bydysawd mawr ei hun. Chwilio a chwalu ac ymbalfalu yn niwl y gorffennol yr ydan ni i gyd i geisio dallt pam. Pam fy mod i yma heddiw? Sut y cyrhaeddais i yma? Ac mae 'nghof i, a'r ffeilia sydd ynddo fo, yn gynrychioliadol o gof pawb. Oherwydd fi sy'n dewis beth sydd yn y ffeilia. A dethol be ydan ni isho'i gofio fyddwn ni i gyd y rhan fwya o'r amsar.

Dr Jackson a Dr Smallfoot ddeudodd wrtha i am lunio'r ffeilia. Am fod cofio a chofnodi – y gwirionedd, a'r ffantasi – o gymorth i rywun fel fi meddan nhw. A pheth da ydi 'mod i'n dychwelyd ac yn darllan dros be sgwennais i, a newid neu gywiro neu ychwanegu fel dwi'n ei weld ora. Yn union fel mae haneswyr yn ei wneud. Unwaith mae'r cyfan mewn geiria, matar o ddehongli ydi hi wedyn.

Mae hi'n o hwyr yn y nos rŵan, ond mae'r lle 'ma'n

ddistaw braf. Amsar da i ddarllan, ac amsar da i sgwennu am nad oes yna ddim i darfu ar fy meddwl i. Mi ddechreua i hefo'r ffeil gynta.

'Clic-clic,' medda'r llygodan yr eildro. Dwi inna'n codi, a thra bo'r ffeil yn llwytho dwi'n agor caead y peiriant cryno-ddisgia. Mam ac Yncl Sam brynodd y peiriant i mi. Wel, Yncl Sam a deud y gwir, ond mi roddodd o enw Mam ar y cardyn pen-blwydd hefyd. Ond dwi'n gwbod nad ydw i mwyach yn perthyn i unrhyw ran o gof detholedig Mam.

Mi ga i ddewis cân ar antur ac ar hap. Mae rhif 17 yn ymddangos yn y ffenast fach lwyd a dwi'n clywad piano, a llais Caryl Parry Jones:

Ti'n syrthio mewn i'r fagl gan wybod be 'di be,
A does dim ar ôl ond rhyw syniad ffôl
Yr eith popeth 'nôl i'w le.
Ac mae'r chwarae'n troi'n chwerw,
Mae'r gwin yn troi'n sur.
Mae'r wên yn troi'n ddagra a'r wefr yn troi'n gur...

Does dim sy'n llenwi distawrwydd fel cân dda. Erbyn i mi aileistedd yn fy sedd, mae geiria wedi ymddangos ar y sgrin fach. Fy ngeiria i. Maen nhw'n berthnasol i mi. Dyna pam mai fi yn unig all fynd i grombil y ffeil.

Wrth ddarllan, dwi'n cofio. Cofio'n ôl. A chofio y galla petha fod fel arall – ond nid rŵan. Rŵan dwi yma. Does gen i ddim dewis, dim ond darllan. Dwi yma rŵan yn y stafall hon. Yn gaeth i 'nghof ac yn gaeth i'r gorffennol. Does gen i ddim dewis mewn gwirionedd. A dwi'n barod i ddarllan. Yn barod i gofio. Yn barod i freuddwydio...

Dwi'n cofio gweiddi, am fy mod i'n gwbod.

"'Im papur oedd o!"

"'Neith papur jyst am rŵan?"

"Na 'neith! O'dd o fath â hancas Mrs Williams, Snowdon House. Silk!"

"'Neith papur am rŵan?"

"Na 'neith!"

Roeddan ni wedi rhoi'r babi dol yn ddel yn y bocs sgidia, er bod ei phenaglinia hi yn yr awyr braidd am nad oedd y bocs yn ddigon hir. Roeddan ni wedi defnyddio hancas wen i'w rhoi am y ddol, oherwydd cobana hir llaes gwyn sydd am bobol sydd wedi marw go-iawn. Y broblam oedd leinio'r bocs hefo ffrils a sidan, achos roeddwn i wedi gweld Ifan Ellis Saer yn gneud hynny lot o weithia a doedd y papur oedd am y sgidia newydd ddim cweit yn iawn.

"Fedran ni'm smalio ei fod o'n iawn?" gofynnodd Owan Bach, jyst â marw isho actio'r gweinidog fath â'i dad. "Ne' chladdwn ni fyth mo'ni!"

"Medran!" medda Idwal Wyn, yn dod i benderfyniad sydyn. "Geith hi fod fel'na."

"Ond dydi hi'm yn iawn..." dechreuais brotestio, ond Idwal Wyn oedd wastad yn cael y gair dweutha. "Ffoffycsêc! Ty'd 'laen, ne' chladdwn ni fyth mo'ni!"

"Ond dydi o ddim yn iawn..."

"Yndi mae o."

A doedd gen i'm dewis. Roeddwn i'n gwbod be fasa'n dŵad nesa, oherwydd roedd Idwal Wyn wedi torri twll yn barod yn 'rardd hefo rhaw codi lludw, ac roedd Owan Bach wedi nabio llyfr ei dad, ac wedi troi i dudalen naw deg pedwar yn barod.

"Dos i'w nôl hi, 'ta!"

Do'n i'm isho'i nôl hi, ac roeddwn i'n cael y teimlad mai dyna'r unig reswm roedd Owan Bach ac Idwal Wyn yn fodlon i mi chwara claddu hefo nhw. Yn ara bach mi es i'r tŷ, ac i'r llofft. Roedd hyn yn digwydd 'run fath bob tro. Fel yr oeddwn i'n dechra cerddad i fyny'r grisia roeddwn i'n dechra meddwl am Dad ac roedd y dagra'n dechra sboncio i fy llygaid.

"Fedri di ddim chwara cnebrwng go-iawn heb daflan go-iawn." Dyna oedd Idwal Wyn wedi'i ddeud. Ac roedd gen i daflan Dad.

Yn y llofft mi steddais ar y gwely am funud i'w darllan hi eto. Erbyn rŵan, roeddwn i'n gwbod bob gair oedd arni. 'Er cof am William Russell Thomas, 1923–1964. Priod a thad tyner. Dros brynhawn yr erys wylofain, ac erbyn y bore y bydd gorfoledd.' Wedyn mi roedd yna ddwy dudalen o drefn y gwasanaeth a dau emyn. Ond roedd fy llygaid i o hyd yn cael eu denu'n ôl at yr enw: 'William Russell Thomas'. Mi fyddwn i'n deud yr enw'n uchel wrtha fi fy hun. Ei ddeud o a'i ail-ddeud o. Weithia, doedd o ddim yn swnio fel enw Dad rwsut. Roedd o'n swnio'n ddiarth. Ond roeddwn i'n gwbod yn iawn ma' Dad oedd o. Iesu o'r Sowth oeddwn, roeddwn i'n gwbod hynny, er bod yna bron i chwe mis wedi mynd heibio ers iddo fo farw.

Yn sydyn, doeddwn i ddim isho mynd yn ôl at Owan

Bach ac Idwal Wyn i chwara claddu. Roeddwn i isho gorfadd yn ôl ar y gwely a sbiad ar batryma'r nenfwd. Jyst sbiad fel y byddwn i'n gneud bob nos cyn mynd i gysgu. Sbiad ar y cracia du lle nad oedd y papur wedi matsho'n iawn, a gweld Dad. Cofio Dad. Cofio Dad yn dod i ddeud nos da; cofio gwylia hefo Anti Sal ac Yncl Dani yn ffair y Barri; cofio llifio boncyffion a bwyellu briga coed cyn Dolig; cofio trwsio pynctsiar beic... Cofio. Jyst cofio.

"Abi!" Llais Mam yn gweiddi ar waelod y grisia.

"*Shit!*"

"Abi! W't ti yna? Ma' Owan ac Idwal yma."

"Dŵad rŵan!" Ac i lawr y grisia â mi, yn rhwbio fy llygaid yn sych a'r daflan wedi'i chuddiad o dan fy mhwlofyr.

"Lle uffar fuost ti?"

"Methu cael hyd iddi."

"*Come on*, 'ta."

"Be 'di'i henw hi?"

"Y?"

"Be fydd 'i henw hi?"

"Fydd rhaid i'r enw fod fatha'r daflan..."

"Na!"

"*Come on*, Abi!"

"Dwi'm yn chwara, 'ta."

"Ffoffycsêc!"

"Sut 'sa chdi'n lecio i ni iwsho enw dy dad di?"

"Ond mae dy dad di *wedi* marw! Ma' isho gneud y petha 'ma'n iawn."

"'Na ni 'i galw hi'n Kennedy, 'ta."

"Fydd hynny ddim yn iawn. Chafodd hon mo'i saethu!"

"Rown ni dwll yn 'i phen hi."

"Nid dyna sydd ar y daflan, naci? Yli, wyt ti'n chwara ne' wyt ti ddim?"

Hon oedd ei lein ddweutha fo o hyd. Doedd o ddim yn bwriadu gofyn dim mwy i mi, na thrio perswadio dim mwy arna i wedyn, dim ond deud wrtha i am fynd adra.

"O ce, 'ta," meddwn i, gan addo i mi fy hun mai hwn fasa'r tro dweutha go-iawn, go-iawn. Wedi cau'r bocs sgidia, a'i roid o ar drol blocs brawd bach Idwal Wyn, dyma'i lusgo fo'n ara bach at y twll, ac o fewn troedfadd i'r twll dyma ni'n stopio. Mi afaelodd Idwal Wyn a finna yn y ddau linyn a gosod y bocs sgidia arnyn nhw, cyn eu codi uwchben bedd dwy dywarchan. Yn ara bach diflannodd y bocs i'r twll.

Mi afaelodd Owan Bach yn llyfr coch ei dad a dechra smalio darllan fel tasa fo isho dal trên.

"'RarclwyddydwfyMugail, nibyddeisiauarnaf…"

"Paid â'i ddeud o i gyd, mae'n rhy oer…" medda Idwal Wyn. "Dos yn dy flaen i lle dwi'n lluchio pridd i'r twll."

"Bedd."

"Y?"

"Bedd ydi o nid twll," medda fi.

"Ty'd 'laen, Owan!"

Dechreuodd Owan Bach ddarllan go-iawn. "Yn gy-maint ag y rhyg-g-ngodd bodd i'r Duw Goruch-uchaf alw ato'i hun en-enaid ein brawd William Russell Thomas, yr ydym yn rhoddi ei gorff ef yn y bedd. Pridd i'r pridd, lludw i'r lludw…" Wrth i Owan Bach ddarllan, mi gymrodd Idwal Wyn ddyrnaid o bridd a'i daflu o i'r bedd ar ben y bocs.

"Chdi nesa."

"Y?"

"Darllan emyn i ni gael 'i chanu hi."

"Plant bach Iesu Grist ydan ni bob un." Ches i ddim mynd dim pellach, roedd Idwal Wyn yn sgwario.

"O'r daflan ti fod i ddarllan."

"Dwi'n gwbod, ond 'dan ni byth yn canu o'r daflan."

"Dim ots, rhaid i'r cnebrwng fod yn *othetnic*."

"Be?"

"*Othetnic*, gair Susnag ydi o, am fod yn *sbot on*."

Dyna pryd y ces i'r teimlad 'mod i'n gneud rhwbath yn rong. Doeddwn i ddim fod i ddefnyddio taflan cnebrwng Dad i chwara. Os oedd gen i feddwl o Dad o gwbwl, mi faswn i'n gwrthod defnyddio'i daflan o. Am ei bod hi'n *othetnic*.

"Dwi'n mynd i'r tŷ."

"Be?"

"Dwi 'di laru."

"Ffocin Abi Mul yn pwdu rŵan, yndi?"

"Dwi'm isho chwara cnebrwng. Mae o'n rong," medda finna'n clywad fy llais i'n cracio a'r dagra'n dechra codi. Pan oedd un o'r hogia'n dechra fy ngalw i'n 'Abi Mul', roedd hynny'n dangos nad oedd petha'n dda, a bod yna ffrae ar y ffordd. Mi rois i 'mhen i lawr, ac wedi gwasgu taflan cnebrwng Dad yn dynn at fy mrest mi ddechreuais i gerddad at y tŷ. Yn sydyn roedd Idwal Wyn wedi rhedag, ac yn sefyll o 'mlaen i.

"Dyro'r daflan yna i mi," medda fo. "Dydi Owan Bach a fi ddim wedi gorffan chwara eto."

"Fi pia hi!"

Roeddwn i'n gwbod be oedd yn dod. Mi ges i ffling ar lawr, ond roeddwn i'n dal i afael yn y daflan. Mi godais i'n ara bach a gwasgu fy llaw dde'n ddwrn. Doedd gen i ddim enw fel cwffiwr, ond doeddwn i ddim yn mynd i adael i Idwal Wyn gael taflan Dad. Yn sydyn, wrth weld

Idwal Wyn yn dod yn nes, mi waeddais i "Jeronimo!" yn nhwll ei glust o, a rhoi ffwc o wab iddo fo yn ei stumog nes plygodd o yn ei hannar fel cyllall bocad, a disgyn ar ei benglinia. A rhaid ei fod o wedi gweld y myll oedd yn llenwi 'mhen i, oherwydd fe ddaeth yna olwg o ofn dwfn i'w lygaid o.

"Ti isho fo? Oes?" gwaeddais arno fo. Nid gweiddi chwaith, ond hannar sgrechian, oherwydd erbyn hyn roeddwn i'n nadu crio. Roedd o gymaint allan o wynt, roedd o'n methu siarad. Ysgydwodd ei ben. Erbyn i Owan Bach neidio ato i'w helpu i godi, roeddwn i wedi dechra rhedag at y tŷ. Wnes i ddim llnau 'nhraed hyd yn oed, dim ond rhedag i'r llofft, plannu fy hun ar y gwely a chrio a chrio. Mi roedd yna gân yn chwyrlïo rownd a rownd yn fy mhen i. Cân o'r enw 'Charlie Brown' gan y Coasters. Roeddwn i wedi'i chlywad hi lot o weithia, ond dim ond un llinell oedd wedi sticio yn fy mhen: *'Why is everybody picking on me'*, ac felly'n union roeddwn inna'n teimlo. Roedd y basdads yna i gyd yn eu tro yn pigo arna i. Pawb. Y genod a'r hogia. Roeddan nhw'n pigo arna i am fy mod i'n wahanol. Ac *roeddwn* i'n wahanol. Roeddwn i'n gwbod yn iawn pam fy mod i'n wahanol. Doedd gen i ddim tad.

Wn i ddim am faint o amsar y bûm i'n gorfadd ar y gwely yn crio. Yncl Sam ddaeth i fyny ata i.

"Be sy'n bod eto, Abi bach?"

Ac ar yr 'eto' roedd y pwyslais. Ond yn ei ffordd ei hun, un da oedd Yncl Sam. Roedd o'n ŵr mawr, cydnerth, ac roedd pawb yn ei alw fo'n Yncl Sam. Pawb yn stryd ni, pawb yn pentra a phawb yn dre. A phe tasa'r byd i gyd yn ei nabod o, Yncl Sam fasa fo iddyn nhwtha hefyd am wn i.

Mi symudodd i'n tŷ ni jyst ar ôl i Dad farw. Anti Mabel oedd gwraig Yncl Sam erstalwm, ond maen nhw'n cael difôrs, ac mi ddaeth Yncl Sam i fyw i'n tŷ ni. Ond roeddwn i'n dal yn ffrindia hefo Anti Mabel hefyd. Fi oedd yn mynd ag amlen iddi hi bob dydd Sadwrn oddi wrth Yncl Sam. Pres oedd yn'o fo, oherwydd mi fydda hi'n ei agor o gyferbyn â mi, cyfri'r papura chweugian oedd yn'o fo, wedyn mynd i ddrôr y seidbord ac estyn pishyn swllt a dyrnaid o dda-das-capal i mi. Mi fydda hi'n gwenu fel giât a deud 'run fath o hyd, "Diolch i chdi, Abi bach." Oedi am 'chydig wedyn cyn gafael amdana i a deud, "Mi dorri di galonna rhyw ddwrnod!" Wedyn mi fydda hi'n rhwbio'i llaw yn fy ngwallt i, neu'n plygu drosodd i roi sws ar fy moch i. Roedd ei gwefusa hi'n goch, goch ac roedd yna ogla da arni hi o hyd.

Mi blygodd Yncl Sam ata i. "Be sy'n bod eto, Abi bach?"

Wnes i mo'i atab o, dim ond ysgwyd fy mhen.

"Ti isho deud wrtha i?"

Ysgydwais fy mhen. Mi welodd 'mod i'n dal rhwbath at fy mrest. Gwenu ddaru o, estyn ei law yn ara bach a gofyn hefo'i lygaid. Yr un mor ara mi wnes inna estyn taflan cnebrwng Dad iddo fo.

"'Di o ddim yn deg!" gwaeddais a chladdu 'mhen yn y gobennydd unwaith eto. Roedd y daflan yn fudur ac yn blygiada i gyd. Mi edrychodd yn hir arni cyn deud dim.

"Wnei di rwbath i dy Yncl Sam?"

Nodiais. Doedd o'm cweit fel Dad, ond roedd o'n trio'i ora.

"Aros di'n fan'na am funud. Ma' Wil Preis wedi deud wrth dy fam dy fod ti'n giamstar am sgwennu." Ac allan â fo. Fe'i clywn o'n ymbalfalu yn y stafell nesa, ac mewn ychydig mi ddaeth yn ei ôl. Yn ei law o, roedd yna gopi-bwc tew, cas calad, a beiro Bic.

"Dwi'n gwbod nad ydi'n hawdd arna chdi ar ôl i dy

dad farw. Weithia mae gen ti isho deud petha sy'n anodd eu deud, yntoes?"

Roeddwn i'n dallt yn iawn be oedd gynno fo. Roeddwn i jyst â marw isho deud wrtho fo fel roedd yna gnoi mawr yn fy stumog i. Mi fyddwn i'n teimlo weithia fel petasa 'ngwynt i gyd wedi mynd, a weithia mi fydda hogia *form four* yn gofyn i mi sut oedd Dad, jyst i 'ngweld i'n dechra crio. Gari Gogls oedd y basdad. Ond mi fydda rhai o'r lleill yn deud petha hefyd, ac wedyn yn chwerthin yn uchal. Doeddwn inna ddim yn dallt pob jôc fydda'n cael ei deud.

"Llyfr i chdi ydi hwn, yli. Petha sy'n dy boeni di, ella petha grêt sy'n digwydd i chdi. Os nad wyt ti isho deud wrth neb arall, sgwenna nhw yn hwn. Ma' cael deud petha, neu eu sgwennu nhw, weithia'n help, 'sti."

Mi estynnodd y copi-bwc a'r beiro newydd sbon i mi.

Y dydd Sadwrn hwnnw oedd y diwrnod cynta i mi beidio mynd allan i chwara yn y pnawn. Mi ddaeth Owan Bach heibio jyst cyn te. Fydda Owan Bach ofn Mam ac Yncl Sam. Fydda fo byth yn dod i'r drws i fy nôl i os nad oedd Idwal Wyn hefo fo, jyst aros tu ôl i'r giât a chwibanu. Roedd gynno fo uffar o chwibaniad a doedd o ddim yn gorfod defnyddio'i fysadd.

Mi glywais i'r chwibaniad. Wedi sbecian drwy'r ffenast a gweld nad oedd Idwal Wyn hefo fo, mi es i lawr y grisia ac allan ato fo.

"Ti'n dod i chwara?"

"Nachdw."

"Ma' Idwal Wyn yn difaru, 'sti."

"Ffacotsh gin i."

"Mae o isho i chdi gael hon."

Mi estynnodd *fountain pen* Idwal Wyn i mi. Roedd

Idwal Wyn wedi bod yn brolio hon ers wsnosa. Ond ysgwyd fy mhen wnes i. Mi ddechreuais i gicio blaen fy sgidia yn erbyn y wal, er 'mod i'n gwbod y basa hynny'n gwylltio Mam yn gacwn tasa hi'n gwbod. Ond roedd o'n beth tyff i'w wneud.

"Deud wrtho fo, os ydi o'n difaru, am ddod i ddeud hynny 'i hun. Dwi'm isho'i ffycin *fountain pen* o. Dwi newydd gael beiro newydd a chopi-bwc cas calad gin Yncl Sam." ·

"Ddoi di chwara hefo fi, 'ta?"

"Dwi'n mynd i wrando ar Radio Luxembourg ne' Radio Caroline."

Gloywodd ei lygaid am funud. Roedd o'n meddwl ei fod o'n mynd i gael rhannu'r gwrando.

"Wela i di yn Ysgol Sul fory," meddwn i wrtho cyn troi ar fy sawdl a mynd yn ôl i'r tŷ. "Mi ddysgith hynna chdi'r basdad bach!" medda fi'n dawal fach dan fy ngwynt. Ond roeddwn i'n dal i feddwl am Owan Bach fel mêt gora.

Ar ôl swpar y noson honno mi fûm i'n gwrando ar Radio Luxembourg ar yr hen weirles Grundig roedd Yncl Sam wedi'i rigio yn y llofft i mi. Roedd y copi-bwc ar agor ar fy ngwely i ond, wedi sgwennu fy enw, doedd gen i'm syniad be arall i'w roi yn'o fo. Ac yna, wrth wrando ar un o ganeuon newydd y Searchers, mi glywais i'r geiria yma roeddwn i'n feddwl oedd yn disgrifio'n union sut oeddwn i'n teimlo:

Have you ever loved somebody?
Don't you know what it's like?
Hurting someone that you're close to,
Have you ever loved all night?

Doeddwn i ddim yn dallt pob gair. Erbyn y pedwerydd

pennill roeddwn i wedi medru sgwennu'r gytgan i gyd. Pedair llinell. Caru oedd *love*, a brifo oedd *hurting*. Ond roedd y llinell ddweutha'n sôn am garu drwy'r nos. Be am drwy'r dydd wedyn hefyd? Doedd o ddim yn gneud sens. Pwy roeddwn i'n ei garu?

Mi fydda Mam ac Anti Mabel wastad yn deud 'mod i'n hen gariad, ac roeddwn i'n ama mai rhyw fath o gariad felly oedd be o'n i'n deimlo at Mam a Dad, a dyna pam oedd gen i hiraeth am Dad. Ac roedd Abram Ifans drws nesa yn Welsh Nash ac yn caru Cymru. "Abi bach, ma'r hen Gymru fach yma 'run fath â dynas." Dyna fydda fo'n ei ddeud wrtha i. "Mi ddallti di pan fyddi di'n hŷn." Ac mi roeddan ni wedi dysgu geiria yn 'rysgol am garu pob erw o'r hen Gymru lon…

Ond roedd geiria'r gân gan y Searchers yn swnio'n iawn i mi y noson honno. Dyna pam sgwennais i nhw yn y copi-bwc, a rhoid yn fy sgwennu gora yn y llinell nesa, 'Felly dwi'n teimlo hefyd.' A dyna'r geiria cynta i mi sgwennu yn y copi-bwc. Ac roedd hynny ddiwrnod cyn fy mhen-blwydd i yn un ar ddeg oed.

* * *

I fell in with a bad crowd, and laughed and drank
*   with them*
But through the years Mama's words would echo now
*   and then.*

Wel, doedd hynna ddim cweit yn wir amdana i, er 'mod i ac Owan Bach ac Idwal Wyn wedi rhannu amball i botal o Maci a Niwci Brown tu allan i'r Fic, ond ddwy flynadd union wedi i mi slanu Idwal Wyn dyna sgwennais i. Ac mi roedd y copi bwc yn hannar llawn erbyn hynny. Mi fyddwn i'n treulio oria ac oria yn darllan ac yn ailddarllan popeth roeddwn i wedi'i sgwennu. Ac fe fyddwn i'n cymharu dyddiada... Union ddwy flynadd yn ôl y buon ni'n ffraeo am daflan cnebrwng Dad – ddaru ni ddim chwara claddu wedyn... ac mi roedd Idwal Wyn wedi newid lot... union flwyddyn yn ôl y bachodd Idwal Wyn botal fach o fodca o siop Chambers – ddaru ni ddim yfad llawar am sbelan wedyn... Roedd yna saith mis ers i ni cael copsan yn hel dafad i galeri capal... chwe mis ers i Edi Pandy Bach fyllio un noson yn y Bwl a bu'n rhaid mynd â fo i ffwrdd... a thri mis ers i Ford Consul Dei Brylcreem sgidio ar y rhew yn ymyl Gorlan a throi ben-ucha-isa. Roedd dwy flynadd wedi mynd yn sydyn, ond roeddwn i'n synhwyro 'mod i ac Idwal Wyn ac Owan Bach wedi newid cryn dipyn yn y ddwy flynadd hefyd. Roeddan ni'n meddwl mwy ac yn siarad fwy nag oeddan ni'n chwara.

Er bod ei dad o'n Welsh Nash ac yn weinidog, roedd Owan Bach a finna'n ffrindia. Lebor oedd Dad pan oedd o'n fyw, ac Yncl Sam a Mam ac Anti Mabel a phawb arall. Ond doedd dim ots gen i fod Owan Bach yn Welsh Nash a doedd dim ots gen Owan Bach 'mod i'n Lebor. Ond mae yna reswm arall pam dwi'n cofio bod bron yn dair ar ddeg oed.

Roedd Abram Ifans wedi marw ers deufis. Ac mi welais i o'n diflannu o flaen fy llygaid. Mi gafodd Abram gansar. Ac mi fuo fo'n gorfadd am chwe mis. Gan 'mod i ac Owan Bach yn giamstars ar ddarllan, roedd Ceridwen ei wraig o wedi gofyn i Mam gawn i fynd draw am ryw hannar awr bob nos i ddarllan iddo fo. Ac mi fydda Owan Bach a finna'n mynd ar yn ail noson. Weithia hefo'n gilydd.

"Tasa ni ond yn cael sbrinclin o ysbryd y Gwyddal yng Nghymru, hogia bach... yn 1916 mi gododd y Gwyddelod yn erbyn y Saeson... a wyddoch chi be ddaru'r Sais?"

Hannar gwrando o'n i, ond roedd Owan Bach yn glustia i gyd – ac yn gwbod yr hanas.

"Rhoid nhw yn jêl Kilmainham a'u saethu nhw..."

"*Firing Squad!* Pymthag gafodd eu saethu... roedd James Connolly wedi'i glwyfo mor ddrwg fel na fedra fo sefyll i wynebu'i ddiwadd... a wyddoch chi be ddaru nhw?"

"Ei glymu o i gadair a'i saethu o wedyn..."

Ac mi fydda yna olwg bell yn dŵad i lygaid Abram Ifans, fel pe tasa fo yr eiliad honno mewn jêl yn Iwerddon yn dyst i ladd James Connolly, pwy bynnag oedd hwnnw.

A dwi'n cofio'n iawn y noson cyn iddo fo farw. Y noson honno y dechreuodd o grio.

"Darllan y rheina eto!" medda fo wrtha i mewn llais bach. "Rheina oedd Owan yn eu darllan i mi neithiwr."

A dyma finna'n darllan:

'Aelwyd serch sydd rhwng fy nwyfron,
Tanwydd cariad ydi'r galon;
A'r tân hwnnw byth ni dderfydd,
Tra parhao dim o'r tanwydd.

A ffyddlondeb yw'r meginau
Sydd yn chwythu'r tân i gynnau;
Â maint y gwres nid rhyfedd gweled
Y dŵr yn berwi dros fy llyged.'

Ac wrth i mi ddarllan mi welwn i fod Abram yn ysgwyd i gyd, dagra'n powlio i lawr bob ochor ei wynab, a gwên ryfadd ar ei wynab o.

"Hen bitsh ydi hi, Abi! Mae hi'n chwara hefo chdi, drwy dy fywyd mi fydd hi'n chwara hefo chdi, a waeth be wyt ti'n neud fedri di ddim dianc rhagddi."

Ar y pryd roeddwn i'n synnu ei fod o'n galw enwa felly ar Ceridwen ei wraig. Wedyn y dalltis i. Ac Owan Bach ddeudodd wrtha i.

Pan ddois i adra o'r ysgol drannoeth mi ddeudodd Mam wrtha i fod Abram Ifans wedi marw. Mi sbiodd hi ac Yncl Sam ar ei gilydd pan ddeudais i 'mod i isho mynd i'w gnebrwng o. Ac roeddwn i'n gwbod yn iawn beth oedd yn mynd drwy'u meddylia nhw. Ond roedd yna ddwy flynadd a mwy ers claddu Dad. Ac roeddwn i'n gwbod y basa Owan Bach isho dod hefyd.

Roedd y capal yn llawn. Llawer llawnach nag i gnebrwng Dad, ac roedd pawb – tad Owan Bach oedd yn siarad lot, yr un ddaru weddïo a'r hen ddyn oedd yn siarad am fywyd Abram Ifans – roeddan nhw i gyd yn sôn am ei gariad angerddol tuag at ei wlad. Dwi'n cofio brawddeg ola'r hen ddyn: "Mi fuo fo'n ffyddlon iawn i Gymru, roedd o'n gwbod ei hanas hi ac yn cenhadu'n ddyddiol drosti hi… a dwi'n siŵr ei fod o wedi colli llawar o ddagra drosti hi." Ac yn fan'no y daeth y llinynna ynghyd. "Mae'r hen Gymru fach yma fel dynas…" Roedd Abram Ifans yn caru Cymru fel yr oedd o'n caru dynas, ond roedd y ddynas sbeshal yma wedi torri'i galon o. Dyna pam roedd o'n crio pan ddarllenais i'r penillion yna iddo fo.

"Sôn am Gymru fel hen bitsh oedd o," medda Owan Bach wrtha i wedyn mewn *lesson Welsh*. "Ma' Dad wasdad yn deud fod Abram yn gweld Cymru fel dynas…"

"Elidir Fawr ydi'r bronna?" a dechreuodd y ddau ohonan ni chwerthin.

"A twll chwaral ydi…"

"Owan Williams ac Abednego Thomas! Beth sy'n ddigri ym marddoniaeth T. H. Parry-Williams?"

"Sôn am Abram Ifans oeddan ni, syr…"

"Oedd o'n gweld Cymru fel hen bitsh, syr…"

A dyna nifer yn dechra chwerthin.

"Tasa 'na fwy fel Abram Ifans yn y Gymru yma, fasa ddim rhaid i'w hogia dewr hi wynebu carchar am atal y rhaib ar ei dyffrynnoedd hi!"

Wedyn y deudodd Owan Bach wrtha i fod Twmsan Welsh yn Welsh Nash hefyd a bod yna berthynas i'w wraig o wedi bomio rhywla yn ymyl y Bala. Ac yn ôl Owan Bach, tasa Abram Ifans wedi clywad hynna mi fasa fo wrth ei fodd.

Ia, dyn od oedd Abram Ifans.

* * *

Feiddiwn i ddim deud 'Na' rhag ofn i'r hogia eraill fy ngalw'n gachwr. Felly, pan ddeudodd Gari Gogls ein bod ni i gyd yn mynd am rêd i Woolworths y dydd Sadwrn canlynol, mi gytunais i hefo pawb arall.

"'Dan ni'n mynd i dre bora fory ar bỳs hannar dydd," medda fi'n ddidaro wrth Mam ac Yncl Sam wrth sglaffio bechdan Marmite amsar brecwast dydd Gwenar.

"Pwy 'di'r 'ni' yma?" holodd Mam yn syth.

"Owan Bach, Idwal Wyn a fi," medda finna'n glwyddog i gyd. Roedd Idwal Wyn yn mynd i sleifio allan o'r tŷ ond doedd tad Owan Bach ddim yn gadael iddo fo ddŵad i'r dre nes oedd o'n bymthag. Pe tasa Mam yn gwbod mai mynd hefo Gari Gogls a Misty Moto-beic roeddwn i, mi fasa'n cael ffit biws.

"I be'r ei di i le felly?"

"Ffilm James Bond yn Majestic am hannar awr 'di un."

"Faint o bres wyt ti isho?" gofynnodd Yncl Sam, a dyna ddiwadd unrhyw ddadl. Mi ges i hannar coron gynno fo. Digon i dalu bỳs, mynd i'r Majestic a chael gwerth chwech o *chips* a photal o Vimto cyn cychwyn adra.

Gari Gogls a Misty Moto-beics oedd yn gneud y trefniada. Doedd ganddyn nhw ddim ffydd yna i fel lleidar, felly fi o'dd y *decoy*. Roeddwn i fod i fynd at y cowntar lipstics a smalio dwyn. Roedd gan Woolworths dditectif. Mi fasa hwnnw'n dod draw wedyn ata i ac yn fy nilyn i. O'r lle beics a fflashlamps y basa'r hogia'n dwyn, ac roedd fan'no ym mhen arall y siop. "Cofia, paid â nabio dim byd," medda Gari Gogls, "jyst smalio gneud." Ar ôl y rêd, roeddan ni'n mynd i gwarfod yn Caffi Majestic uwchben y sinema, i rannu petha cyn mynd i weld y ffilm.

Roedd hanas y rêd wedi lledaenu drwy'r ysgol fel tân gwyllt y dydd Gwenar hwnnw. Roedd 'na griw yn mynd i ddod i'n cwarfod ni i'r caffi.

Dydd Sadwrn, roedd top dybl-decar Crosville am hannar dydd i dre mor llawn â bỳs ysgol. Llwyth o blant, a phum arwr arno fo. Doeddwn i ddim wedi cysgu'n dda o gwbwl y noson cynt, yn poeni y baswn i'n cael fy nal, ac roeddwn i'n crynu i gyd. Ond doeddwn i ddim yn mynd i fod yn gachwr. Wedi'r cwbwl, gen i oedd y gwaith hawsa. Doeddwn i ddim yn mynd i wneud dim o'i le.

"Yn jêl fyddwch chi!" medda Buddug Wyn gan droi rownd nes oedd ei phoni-têl melyn hi'n swingio i bob man, a dyma pawb yn chwerthin. Chwerthin wnes inna hefyd.

Roedd Buddug Wyn yn rhannu sêt hefo Linda Morris a Gwyneth Price ac roeddan nhw'n ista yn y sêt tu blaen i ni. Roeddan nhw flwyddyn ne' ddwy yn hŷn na fi ac Owan Bach ac Idwal Wyn – yr un oed â Misty a Gogls –

ac yn genod mawr.

Dici Soldiwr oedd yn hel y tocynnau. Hen foi tal, blin a chas. Roedd o wedi lladd dros gant o Jyrmans yn y rhyfal medda fo, ond doedd 'na neb yn ei goelio fo. Roedd o wedi rhoid peltan i Misty unwaith, ac roedd brawd Misty a dau foi arall wedi'i weld o yn dre y nos Sadwrn wedyn ac wedi rhoid diawl o harnings iddo fo. Doedd ryfadd felly fod Misty yn reit coci hefo fo.

Roeddwn i'n teimlo'n reit flin drosto fo.

I ddechra, mi roedd o'n un o hen ffrindia Dad – roedd y ddau wedi bod yn gweithio ar y bysys hefo'i gilydd am flynyddoedd – ond doeddwn i ddim yn meddwl ei fod o wedi fy nabod i y diwrnod hwnnw.

Wedi iddo fo hel ein pres ni a mynd i lawr y grisia, mi ddechreuodd Misty arwain y canu. Yn ddistaw i ddechra, un o ganeuon y Beatles, ond cyn cyrraedd pen 'Rallt Goch roeddan ni i gyd yn canu 'Glad all over' gan y Dave Clark Five ac yn stampio'n traed ar lawr y bỳs.

And I'm feeling (STAMP STAMP) glad all over
Yes I'm (STAMP STAMP) glad all over
Baby I'm (STAMP STAMP) glad all over...

Mewn cachiad nico roedd Dici Soldiwr yn ôl i fyny yn diawlio ac yn deud wrth bawb am fod yn ddistaw. Y munud y diflannodd i lawr yn ei ôl, dechreuodd y canu drachefn. Ac felly y treuliwyd yr holl siwrnai i'r dre. Chwara mig hefo Dici Soldiwr. Mi driodd aros yn y llofft i gadw trefn, ond bob tro y bydda'r bỳs yn stopio i godi rhywun mi fydda rhaid iddo fo fynd i lawr i nôl pres ac mi fydda'r canu'n ailddechra.

"Pwy sy'n stampio traed?!" gwaeddai.

"Y ni!" atebai ugain neu fwy yn un côr, yn cael ein

harwain gan Gari Gogls a Misty.

Ymhell cyn i ni gyrraedd dre roedd Dici Soldiwr wedi gwylltio, ond rhaid fod y gweir gafodd o yn dal yn glir yn ei gof. Hyd yn oed pan ddechreuodd Misty aralleirio cân arall, aros i lawr grisia wnaeth o.

Hitler has only got one ball.
The other is in the Albert Hall.
Himmler has something sim'lar,
But Dici Soldiwr has no balls at all!

Pan gyrhaeddodd y bỳs y Maes mi ruthrodd pawb allan heibio iddo fo fel haid o wydda swnllyd. Fi oedd un o'r rhai dweutha, ac wrth i mi'i basio fo mi afaelodd Dici Soldiwr yn fy llawas a 'mraich i. Gan fy mod i'n rhedag, mi fethais stopio fy hun rhag gwneud tro crwn cyfan nes oeddwn i wynab yn wynab â fo.

"Be fasa dy dad yn ddeud?" ysgyrnygodd yn hyll i 'ngwynab i a dechra gwasgu 'mraich i'n greulon. Fedrwn i ddim meddwl am atab iddo fo, dim ond sbio'n ôl i'w lygaid. Doeddwn i ddim wedi disgwyl clywad hynna, ac roedd o'n gwasgu 'mraich i'n slwj. Roedd fy stumog i wedi dechra ysgwyd, a'r dagra'n dod i lenwi fy llygaid i. Wn i ddim ai dagra poen neu hiraeth oeddan nhw.

Mi glywn rhywun yn gweiddi, "Misty!" ac mewn dim roedd Misty yno yn fy ymyl.

"Be sy'n bod?" gofynnodd yn wyllt.

Fedrwn i mo'i atab o. Mi gaeais fy llygaid. Rhaid fod Misty wedi gweld llaw Dici Soldiwr ar fy mraich i. Sgwariodd ato.

"Gollwng o'r basdad, neu mi gei di gweir arall heno!"

Gollyngodd Dici Soldiwr fy mraich ar unwaith, ac aeth oddi wrth y bỳs at swyddfa Crosville. Yr unig beth roeddwn i isho'i wneud oedd rhedeg oddi yno. Diflannu i rywla. Roedd y rhan fwya o'r lleill wedi mynd.

"'Dan ni'n mynd i Gaffi Manticore," medda Idwal Wyn. "Ty'd!"

"Ddo i wedyn," medda finna gan afael yn fy mraich a sbio i ffwrdd. Doeddwn i ddim isho sbiad i'w wynab o rhag ofn iddo fo weld. "Gerdda i rownd y Castall unwaith."

"Be ddeudodd o wrtha chdi?"

"Rhwbath am Dad." A chyda hynny, mi gerddais i ffwrdd ac i lawr i'r toilets dan Lloyd George. Mi rois i geiniog yn drws lle cachu, ac wedi cloi'r drws jyst ista ar y pan yn crio.

Pan o'n i'n teimlo'n well mi es i olchi 'ngwynab i drio hel yr hoel crio o'n llygaid. Roedd fy mraich i'n dal i frifo, ac wedi sbio arni, roedd yna ychydig o farcia coch i'w gweld. Es allan o'r toilets, ac i lawr at y Cei.

Mi steddais i a 'nhraed yn hongian dros ochor cei wrth ymyl cwch o'r enw *Sea Hunter*. Roedd hi'n gwch fawr ac yn rhaffa i gyd. Rhaid fod yna bwrpas i bob un rhaff, meddyliais, gan geisio dyfalu tybed faint o ddynion fydda'n ei hwylio allan ar y môr mawr. Roedd taid Idwal Wyn wedi rhedag i ffwrdd i'r môr rhyw dro. Ella mai ar y *Sea Hunter* yr aeth o? Be fasa Mam yn ei ddeud taswn i'n rhedag i ffwrdd i'r môr?

"Ti'n iawn, Abi?"

Pan drois i, Buddug Wyn oedd yno, hefo dau gornet *ninety-nine*, un ymhob llaw.

"Hwda!" meddai, ac estyn un i mi. Ac mi eisteddodd yn fy ymyl. "Oedd Misty'n deud fod Dici Soldiwr wedi bod yn fasdad hefo chdi?"

Cymerais y cornet a nodio hefo 'mhen. Ew, roedd o'n dda. Mi fuon ni'n ddistaw am funud.

"Mae o wastad yn pigo ar blant llai," medda hi toc.

"Ble ma' pawb arall?" gofynnais, gan drio troi'r stori.

"Yn y Manticore. Ddeudis i ella taswn i'n dy weld di, y basa ni'n mynd draw yno yn y munud."

Roedd hi wedi dod allan yn fwriadol i chwilio amdana i 'lly. Mi sbiais i arni a gwenu. Roeddwn i isho deud diolch, ond fedrwn i ddim. Mi wenodd hitha'n ôl arna i, ac roeddwn i'n meddwl ella ei bod hi'n dallt mai diolch oeddwn i.

Wrth sbio arni, mi sylweddolais i am y tro cynta hogan mor dlws oedd hi. Gwallt melyn, melyn yn codi'n boni-têl yn y cefn, a llygaid glas, glas. Yn union fel tywod a thonna'r môr ar ddiwrnod braf. Mi sylwais i hefyd fod ei gwefus ucha hi'n troi ar i fyny fymryn bach. Ond rŵan, roedd ymylon ei cheg hi'n wyn i gyd.

"Ma' gen ti *ice cream* rownd dy geg!"

Mi wenodd eto, a daeth rhes o ddannadd gwyn i'r golwg. Aeth i bocad ei jîns ac estyn hancas i sychu'i cheg. Estynnodd o i mi wedyn, "Titha'm gwell!"

Mi gymerais yr hancas, a sychu 'ngheg fy hun, gan feddwl, "Mae'i cheg hi newydd fod ar hwn!" Sychais fy ngheg yn ara bach yr eilwaith cyn estyn yr hancas yn ôl iddi. Hancas wen hefo ffrils pinc hyd ei ymylon.

"Diolch."

"Well i chdi'i gadw fo am funud nes fyddan ni wedi gorffan."

"Faint s'arna i chdi am y *ninety-nine*?"

"Presant ydi o!"

Mi wenais cyn deud, "Diolch."

"Ti am fynd i Woolworths?"

"Yndw."

"Fasa'n well i ni fynd, 'ta? Mi fydd Misty a'r hogia erill

yn disgwyl amdana chdi."

Mi gododd a dechra cerddad. Wrth godi i'w dilyn fedrwn i ddim peidio sylwi mor dynn oedd ei jîns hi amdani, ac fel roedd ei jympyr yn dilyn siâp ei chorff hi. Pan gyrhaeddon ni Manticore roedd y criw i gyd yno. Daeth Misty ata i.

"Ti'n iawn?"

"Yndw."

"Barod am Woolworths?"

"Yndw."

Mi ges i botal o Coke a'i hyfed hi wrth wrando ar y plania. Ymhen deng munud, fe chwalodd pawb – aeth y pump ohonan ni tua Woolworths.

Fi aeth i mewn gynta ac mi es yn syth at y cowntar lipstics. Roedd hi'n hawdd nabod y ditectif. Fo oedd yr unig un oedd wedi gwisgo'n smart yn y siop i gyd, ac fe'i gwelwn yn fy llygadu y munud y cerddais i at y cowntar. Roedd yna uffar o ddynas fawr dew yn sefyll yno. Mae'n rhaid mai hi oedd yn edrych ar ôl y cowntar.

Dechreuais fodio'r lipstics a'r powdwrs.

"Can I help you?"

Mi rois fy llaw yn fy mhocad yn sydyn.

"Be?"

Sgwariodd y bladras a gofyn, "Be wyt ti isho?"

"Presant i Mam," a throis yn ôl at y cowntar. Mi symudodd oddi wrtha i, a thrwy gornal fy llygad fe welwn hi'n siarad hefo'r ditectif. Mi symudodd hwnnw'n slei bach at dop y rhes lle'r oeddwn i. Roeddwn i'n tynnu un llaw o un bocad, rhoi un arall yn ôl mewn pocad arall, ac yn dal i afael mewn pob math o boteli a phacia. Yn sydyn, dyma ddwy fraich yn gafael yn'o i.

"O ce, mêt! Hefo fi!"

"Be sy'n bod?" gofynnais mewn llais bach diniwed oedd yn llawn braw.

"Ti wedi cael copsan!"

"Gollyngwch fi!" gwaeddais. Mi ddaeth y bladras yn ei hôl o rywla, ac mi ges fy hebrwng i stafall y *Manager*. Roedd lot o bobol wedi sefyll i sbio wrth i mi gael fy martsio i gefn y siop, ac mi welwn i Misty ac Idwal Wyn yn troi o'r lle beics a fflashlamps ac yn cerddad am y drws.

"Dwi'm 'di gneud dim byd!" gwaeddais eto.

"Gei di ddeud hynna wrth Mr Holloway."

Roedd y boi oedd yn sefyll yn sbiad arna i'n cael fy hebrwng i'w swyddfa yr un ffunud â Harry Worth, ond ei fod o'n dewach. Am eiliad roeddwn i isho chwerthin, ond wnes i ddim.

"What's he done?"

"Caught him stealing, sir."

"I haven't stoled anything!"

"What's he stolen?"

"Some things from the cosmetic counter. I saw him putting them in his pockets."

Edrychodd arna i a chyfarth, *"Turn your pockets out, lad!"*

Symudais i ddim gewyn.

"We'll call the police, you know," meddai, cyn ychwanegu, *"or even your father and mother!"*

Roeddwn i'n teimlo'n rêl basdad am eiliad, oherwydd mi wnes i fy hun grio a gweiddi arno, *"I bury my father two years ago!"*

Mi welwn ryw don o biti yn dod dros ei wynab. Meddalodd ei lais.

"Have you been stealing from this shop, son?"

"No, sir, I haven't," meddwn i rhwng sniffiada. *"The woman ask me what I want and I say a presant for my mother. I thought I buy her one an' six pence lispick because she let me see the film of James Bond, then the man grab me."* A chan fynd i 'mhocad din ac estyn bron i ddau swllt mewn pres mân i'w dangos iddo fo mi ychwanegais, *"Look, this is money I hel to pay."*

"Would you mind emptying your pockets?"

"No, sir."

Yn ara bach, gwagiais fy mhocedi un ar ôl y llall ar ei ddesg. Cyllall bocad, tamaid o linyn, pres, dau ddarn o *chewing gum*, taffi Dainty, dwy farblan a phedair Mint Imperial.

Edrychodd ar y ddesg. Cododd ei olygon at y ddau oedd tu ôl i mi, cyn gofyn *"Can I look through your pockets?"*

"Yes, sir." Snwffiais, er bod y dagra'n cilio.

Daeth rownd y ddesg, ac aeth ei law i bob pocad oedd gen i. Ffendiodd o ddim byd arall. Gwenodd yn neis arna i.

"It seems that Mr Jones has made a terrible mistake. You wait there a minute."

"Can I put these back in the pockets?"

"Yes, son, of course you can."

Aeth o a'r ddau arall allan. Ymhen ychydig fe ddaeth yn ei ôl a'r bladras hefo fo. Aeth i'w bocad ac estynnodd bishyn swllt gloyw i mi.

"You go and buy yourself some sweets, son. Mrs Thomas will then take you to the cosmetic counter and you can choose something nice for your mother. You won't have to pay for it."

Wrth agor y drws i ddilyn y bladras, mi welwn y ditectif yn sefyll y tu allan fel hogyn bach drwg.

"Come in, Jones!" cyfarthodd Mr Holloway wrth i mi adael.

Mi es i at y cowntar lipstics a dewis y peth druta welwn i – rhyw nêl-farnish pinc oedd yn costio tri a chwech. Mi wenodd y bladras arna i wrth ei lapio fo. Gydag ochenaid o ryddhad mi gerddais o'r siop a'i 'nelu hi am Caffi Majestic. Jyst cyn i mi ddringo'r grisia mi deflais i'r papur oedd am y nêl-farnish. Mi stwffiais y botal i lawr ffrynt fy nhrowsus. Roeddwn inna am drio bod yn arwr hefyd. Er mwyn Buddug Wyn.

Mi roedd 'na weiddi hwrê mawr pan gerddais i mewn. Roedd llond y lle o blant yr ysgol. Roedd pawb ar dân isho gwbod be oedd wedi digwydd. Roedd Misty ac Idwal Wyn wedi 'ngweld i'n cael fy martsio i'r swyddfa.

"Oedd o'r un fath â bod yn côrt hefo Perry Mason!" meddwn i'n gorliwio. "Roedd y dyn 'ma'n lluchio cwestiyna ata i, ac wedyn dyma'r ditectif yn gafael yn fy mreichia i tra oedd y *Manager* yn mynd drw' 'mhocedi i."

"Ffycin hel!" medda Idwal Wyn. "Lwcus na wnest ti'm nabio dim byd!"

"Wel, ddim cweit!" medda fi gan sgwario rhyw fymryn. Mi rois i fy llaw i lawr ffrynt fy nhrowsus ac estyn y botal nêl-farnish allan. Arglwydd, mi ddechreuodd rhai o'r hogia glapio a phawb arall yn chwerthin ac yn gweiddi. O'n i wrth fy modd.

"Gafodd Idwal Wyn ei stopio ar ffor' allan!" medda Misty. "Mi 'nath y ddynas yma iddo fo mestyn ei ddwylo allan a mynd drwy'i bocedi o, ond ffendiodd hi ffacôl, a gesha be?"

"Be?"

"Roedd o wedi nabio pwmp beic a'i stwffio fo i fyny'i lawas!"

Rhagor o chwerthin. Swm a sylwedd y rêd oedd: tair fflashlamp, dau fatri, pwmp beic, bocs trwsio pynctsiars, dwy falf, sbanar, set o floc brêcs a photal o nêl-farnish.

"Reit!" medda Misty. "Dwi'n deud mai Abi sy'n cael dewis gynta." Cytunodd pawb. O'n i'n teimlo'n *shit-hot*.

"Mi gymra i'r nêl-farnish!" medda fi gan feddwl am rwbath yn sydyn.

"I be'r cont gwirion…?" gofynnodd Gari Gogls.

Mi sathrodd Misty ei droed o. "Gad iddo fo… fo sy'n dewis!" Fflachiodd ei lygaid.

Mi gaeodd Gari Gogls ei geg yn glep. Ella fod yr hogia'n meddwl mai present i Mam oedd o i fod. Y fflashlamps a'r pwmp aeth nesa. Mi ges i'r bocs trwsio pynctsiars yr ail dro rownd. Doeddwn i ddim isho dim byd arall. Mi edrychais i fwy nag unwaith ar Buddug Wyn. Bob tro roeddwn i'n dal ei llygad hi, roedd hi'n gwenu arna i.

Mi fuon ni yno'n malu cachu am ychydig nes i Gari Gogls fynd i nôl diod arall ac i ddynas y caffi ddeud wrtho fo ei bod hi'n hannar awr wedi un. "Ffilm!" gwaeddodd Gari Gogls. Ac i lawr â ni i gyd i'r sinema.

Roedd y ffilm yn gracar a finna'n ista rhwng Gari Gogls a Buddug Wyn. Misty oedd yn ista'r ochor arall iddi hi. Jyst cyn i'r gola ddiffodd mi edrychodd Buddug Wyn arna i a gwenu. Mi wenais inna'n ôl arni.

Roedd hi'n dechra twllu pan ddaethon ni allan yn fawr ein sŵn am y rhyfeddoda roeddan ni newydd eu gweld. Gwerth chwech o *chips* yn Siop Rhys Gaff a ras am y bỳs adra.

Wrth ddisgyn o'r bỳs, mi es i at y genod.

"Ga i weld chdi am funud, Buddug Wyn?" gofynnais gan wenu arni.

Roedd y botal nêl-farnish yn boeth yn fy mhocad i, a

chwys fy nwrn i drosti wrth i mi ei hestyn iddi.

"Presant i chdi!" meddwn i'n ddistaw, ac wedi ei gwasgu i'w llaw mi redais i bob cam adra.

Yn y llofft yn gorfadd ar fy ngwely, mi fûm i'n ail-fyw pob eiliad o'r diwrnod wrth wrando ar Radio Luxembourg. Mi estynnais fy nghopi-bwc a dechra sgwennu un o'r caneuon oedd yn cael ei chwara. Wedyn mi waeddodd Mam fod swpar yn barod.

"Rhaid i ti fynd i'r dre'n amlach, wir Dduw!" ebe Yncl Sam. Roedd o wedi sylwi 'mod i'n fwy siaradus nag arfar.

"Pwy ydi Mona Lisa?" gofynnais i Mam.

"Y *Mona Lisa*?" medda hitha a syndod lond ei llais.

"*Painting*," medda Yncl Sam. "Llun o ddynas dlws beintiwyd gan Leonardo da Vinci gannoedd o flynyddoedd yn ôl. Pam ti'n gofyn?"

"Clywad yr enw mewn rhyw gân," medda finna.

Cyn mynd i gysgu'r noson honno, roedd y geiria wedi'u sgwennu yn fy nghopi-bwc i. A doedd yna ddim amheuaeth mai fi, nid Mark Wynter, oedd yn canu, a doedd dim amheuaeth chwaith i bwy roeddwn i'n canu:

She's Venus in blue jeans, Mona Lisa with a pony tail...

"Buddug Wyn."

"Buddug Wyn."

Dwi'n cofio sefyll yn y stafell molchi o flaen y drych yn sbiad arna fi fy hun yn deud ei henw hi. Gwasgu 'ngwefusa'n dynn wrth ddeud y 'B' ar ddechra'i henw hi. Yna ail-ddeud ei henw hi drosodd a throsodd. Roedd jyst deud ei henw hi'n gyrru cynyrfiada drwy fy nghorff i gyd. Tybed oedd hi y funud yma'n meddwl amdana i? Ella ei bod hitha yn ei stafell molchi ei hun, wedi paentio'r nêl-farnish ar ei hewinedd, yn edrych arni'i hun ac yn sibrwd "Abi!"

A dwi'n cofio gorfadd yn ôl ar fy ngwely. Wedi gosod dau obennydd y naill ar ben y llall i mi gael hannar ista i fyny a hannar gorfadd wrth wrando ar y weirles, a phob cân a phob canwr yn fy atgoffa i o Buddug Wyn. Roedd pob gwallt yn felyn ac yn hir, pob llygad yn las fel y môr, pob calon a dorrai yn eiddo i mi, pob deigryn a gollwyd yn llifo o fy stafall i. Ac yn sicr roedd pob breuddwyd yn eiddo i mi:

Whenever I want you, all I have to do is dream.

Ac am ryw reswm fe ddaeth wynab Abram Ifans i fy meddwl i. Oedd Abram Ifans wedi hel meddylia fel hyn am Ceridwen pan oedd o fy oed i? Ei ail gariad agos oedd Cymru, medda'r dyn gwallt gwyn yn ei gnebrwng o. Be tybad oedd yn mynd trwy'i feddwl o pan oedd o'n meddwl am Gymru? Breuddwydio? Oedd hi'n edrych yn debyg i mi fod pob un Welsh Nash yn breuddwydio am ei wlad. Ar adega, mi fydda Owan Bach felly.

Whenever I want you, all I have to do is dream.

Pennod 2

*R*haid 'mod i wedi bod yn syllu ar y sgrin am beth amsar, oherwydd roeddwn i'n ymwybodol yn sydyn 'mod i'n darllan ac yn ailddarllan geiria'r gân. Yn union fel roeddwn i wedi'u teipio nhw. Ydw i'n ei chofio hi? Ei chofio hi? Wrth gwrs fy mod i yn ei chofio hi. Mi drois oddi wrth y sgrin a dechra hymian, yna canu'n ysgafn:

When I want you, in my arms
When I need you, and all your charms
Whenever I want you, all I have to do is dream...

Mae'r ffeil yna'n gorffan yn y fan'na, ond mae'r gân yn dal yn fy mhen. Dwi'n codi ac yn mynd at y ffenast. Mae'r nos yn tynnu ati, a goleuada myrdd o geir a cherbyda yn gwibio'n ôl a mlaen draw tu hwnt i'r wal bella 'cw. Am fy mod i'n edrych ar y cerbyda drwy'r coed, mae'r goleuada'n strobio, yn wincio a blincio fel pe bai rhywun anweledig yn diffodd a thanio dega o switshys bob eiliad. Ond mae pawb a phob un yn mynd i rywla. Pawb yn mynd adra at ei gariad, ei wraig, ei deulu neu ei wlad.

Ei wlad? Pam y sgwennais i hynna? Ai meddwl am Abram Ifans neu Owan Bach wnes i? Ta waeth, ceisio dyfalu i ble'r oedd pawb yn mynd roeddwn i, ac yn dychmygu fod yna amball un wrth ddreifio siŵr o fod yn breuddwydio fel fi.

Mi wn i pa gân leciwn i ei chlywad rŵan.

Dwi'n mynd at gâs y cryno-ddisg, ac wedi darllan ennyd yn pwyso botwm ar y peiriant. Mae Dr Smallfoot a Dr

Jackson wedi gofyn i mi sgwennu pob dim dwi'n ei gofio am ferched. Mae gan bawb ei gyfrinacha, 'ntoes? Ond er mwyn i mi ddod i ddallt fy hun, mae'r ddau isho i mi sgwennu popeth. Fydd dim rhaid i mi ddangos dim byd os nad ydw i isho, meddan nhw. A wna i ddim dangos dim i Dr Jackson, ond mae Dr Smallfoot yn wahanol. Mae Dr Smallfoot yn fy nallt i'n well. Hefo Dr Smallfoot y bydda i'n trafod y merched yn fy mywyd. Nid nad ydw i'n trystio Dr Jackson, o naci. Dydi ddim lot o ots gen i be mae neb yn 'i ddeud na'i glywad amdana i bellach. Wel, pawb ond Mam ella. Wedi'r cwbl, mae mama'n wahanol, yn tydyn? Mae 'na betha na leciwn i Mam hyd yn oed wbod... Ond mi wn i fod Dr Smallfoot wedi darllan y ffeilia i gyd. Ac mi fyddan ni'n trafod weithia.

Dafydd Iwan sy'n canu'r gân nesa 'ma. Mi wrandawa i rywfaint arni wrth agor yr ail ffeil...

Rwy'n meddwl amdanat ti,
Breuddwydio amdanat ti,
Rwy'n meddwl amdanat, breuddwydio amdanat,
Breuddwydio amdanat ti.

Roedd caneuon Dafydd Iwan, pan oeddwn i'n hogyn, fel diferyn bach o Gymreictod ynghanol môr anfarth o ganu Saesneg. A dwi'n cofio Owan Bach yn cael diawl o ffrae hefo Misty. Roedd Misty'n deud fod geiria caneuon Cymraeg yn swnio'n naff. Owan Bach yn dyfynnu "Meddwl amdanat ti..." ac wedyn "I got you babe!"

"Ty'd 'laen, Misty," medda fo, "p'run fasa chdi'n ddeud wrth dy fodan? 'Dwi'n meddwl amdanat ti', neu 'gin i chdi, babi'!"

Er ei fod o'n Welsh Nash, roedd Owan Bach yn medru gneud ei boint ac mi gaeodd Misty'i geg.

Un peth wnes i ddim licio am Dad oedd yr enw roddodd
o arna i. Mi ddeudodd Mam mai fo fynnodd fy ngalw i'n
Abednego, a be ar wynab y ddaear barodd i gondyctor
bỳs a phregethwr lleyg hefo'r Wesleyaid alw'i fab yn
'Abednego'? Mi ddeudodd Mam wrtha i ymhen amsar
wedyn mai un o'i bregetha mawrion oedd 'Pregath y tri
llanc yn y ffwrn dân' ac mai o fan'no y daeth yr enw.

Mi fûm i'n hir iawn yn dallt llawar iawn o betha eraill
am Dad hefyd. Wil Mul oeddan nhw'n ei alw fo yn pentra,
ac ar ffor' o'r Ysgol Sul roeddwn i pan glywais i'r esboniad
am hynny gynta.

Pan fyddwn i'n mynd i Capal neu'r Ysgol Sul mi
fyddwn i o hyd yn sbecian yn slei bach ar Buddug Wyn.
Roeddwn i, erbyn hyn, wedi penderfynu fod poni-têl
Buddug Wyn fel cynffon ceffyl Bronco Lane, oherwydd
pan fydda hi'n chwerthin, mi fyddai'n taflyd ei phen yn
ôl nes y bydda'r poni-têl yn chwifio'n ôl ac ymlaen. Mi
sgwennais i bennill iddi yn fy llyfr emyna. Wnes i mo'i
sgwennu o tu fewn i'r câs, rhag ofn i Mam ei weld o, ond
rhwng yr emyna a'r carola, ar dudalan hannar gwag:

Mae Buddug Wyn yn hogan glên
A'i gwallt fel ceffyl Bronco Lane,
Mae yn braf cael gweld ei gwên
Nes y bydda i'n mynd yn hen.

Pan fydda'n llygaid ni'n cwarfod yn y capal, mi fyddwn
i'n gwenu arni hi, ac mi fydda hi'n gwenu'n ôl arna i.

Doedd hi ddim wedi deud gair wrtha i am y nêl-farnish, ond roeddwn i'n meddwl bod hynny'n golygu ein bod ni'n dallt ein gilydd. Ond mi ddes i ddallt yn fuan nad petha fel'na ydi merched. Neu ella nad ydyn nhw'n lecio dangos hynny i'w ffrindia.

Am fod ei thad hi'n flaenor mi fydda Buddug Wyn yn capal bob bora dydd Sul, ac roedd hi'n ista hefo Linda Morris a Gwyneth Price. Roeddwn i ac Owan Bach wedi bod yn gneud llygaid arnyn nhw o'n sêt ni, ac wedi cael y tair i giglo bron iawn yn uchal drwy bigo 'nhrwyn yn slei bach, felly pan ddaeth pawb allan o'r capal dyma adael i'r bobol fawr fynd yn eu blaena a ninna'n oedi yng nghefn y festri. Ymhen pum munud roedd pawb wedi clirio ond y ni'n pump. Roeddwn i'n gobeithio y basa ni'n cael cerddad adra hefo nhw. Ond rhyw hongian o gwmpas tu ôl i ni roeddan nhw. Roeddwn i wedi troi'n ôl unwaith, ac roedd y tair ohonyn nhw'n siarad yn dawal ac yn chwerthin yn uchal. Os oeddan ni'n arafu, roeddan nhwtha'n arafu hefyd, ond yn sydyn dyma Linda Morris yn camu o flaen y lleill, rhoid pwniad sydyn i mi yn fy nghefn a deud yn ddistaw bach yn fy nghlust i, "Ti isho mynd hefo Buddug Wyn?" Roeddwn i'n fy seithfed nef. "Iesu, oes!" oedd y geiria oedd yn dawnsio ar fy ngwefusa i, ond yn sydyn roedd y ddwy arall ar fy ngwartha i hefyd yn chwerthin, a dyma Gwyneth Price yn gafael am fy ngwddw i hefo un llaw, a'r peth nesa wyddwn i oedd fod ei llaw arall hi wedi gafael fel pinsiars am fy miji-bo fi. "S'gin ti goc fel oedd gin dy dad?" gofynnodd yn fy nghlust i, ac yn sydyn roedd hi wedi bacio'n ôl at ei ffrindia yn gweiddi, "Fatha mul!" ac yn giglo a chwerthin dros bob man. Roedd Owan Bach yn gegrwth jyst â bystio isho chwerthin, ac mi ddychrynais inna i ffitia. "Bitsh!" medda fi gan droi am adra, anwybyddu Owan Bach, a rhedag adra'n syth i'r llofft.

"Bitsh!"

Dyna'r gair ddeudodd Abram Ifans y noson cyn iddo fo farw, pan ddarllenais i benillion serch iddo fo. Ond Cymru oedd y bitsh i Abram.

Roeddwn i wedi fy siomi yn Buddug Wyn o bawb. Tasa rhywun wedi gofyn i mi cyn hynny pwy oedd fy nghariad i, mi faswn i wedi deud ar ei ben – Buddug Wyn – ond y noson honno, mi wnes i nodyn arall yn fy nghopi-bwc. Cân Cliff Richard oedd yr un i mi, achos roedd Yncl Sam wedi deud mai *bachelor* oedd dyn nad oedd o byth yn mynd i briodi.

Son, you be a bachelor boy
Until your dying day.

A hyd y dydd y byddwn i'n farw gelain – fel Abram Ifans – doeddwn i ddim am glymu fy hun i'r un ddynas.

Ond Buddug Wyn oedd y broblam. Mi wnes i drio siarad hefo fy ffrind gora, ond roedd hi'n anodd cael Owan Bach i siarad am genod. Boddi Tryweryn a phrotestiada Cymdeithas yr Iaith oedd ei betha mawr o, ac roedd o wedi sgratsho *badge* Blaid Bach hefo beiro ar ei fag ysgol, ac wedi paentio arwydd FWA ar ei gopi-bwc Hanas jyst er mwyn gweld Boi Hist yn myllio.

Fedrwn i ddim sbio'n iawn ar yr un o'r genod am sbelan, ond roeddwn i'n dal i lecio Buddug Wyn. Mi ddeudais i wrtha fi fy hun mai Linda Morris a Gwyneth Price oedd y drwg yn y caws ac na fasa Buddug Wyn byth wedi gwneud y fath beth i mi.

'Chydig ddyddia wedyn, roeddan ni i gyd i lawr dibyn yn 'rysgol yn chwara tic pêl. Taswn i ond wedi medru copio Egs Bach unwaith hefo'r bêl mi faswn i wedi ticio pawb, ond na, roeddwn i'n methu, ac wrth chwara tic pêl, roeddwn i'n dipyn o jôc. Pan oedd yr hogia eraill i gyd yn medru copio pawb mewn un amsar chwara, roedd hi'n amsar chwara diwadd pnawn a finna'n dal heb gael Egs Bach ers y bora.

Yn sydyn, mi gwelais o'n sleifio heibio'r cwt criced ar fin dibyn y cae chwara, a dyma finna ar ei ôl o. Toedd yna ddim byd ond gwair uchal a rhedyn lawr dibyn, lle grêt i chwara cowbois, ond rŵan, yn sydyn, doedd dim golwg o Egs Bach yn unlla. Rhaid bod y diawl bach slei wedi mynd i guddiad. Yn ara bach mi es ymlaen gan ddal y bêl yn fy llaw yn barod i'w thaflyd ato fo tasa fo'n codi'n sydyn o 'mlaen i.

Mi glywais i sŵn chwerthin, a dyma fynd ymlaen yn ofalus ar fy nghwrcwd. Rhaid 'mod i wedi gneud sŵn, oherwydd y peth nesa dwi'n gofio oedd llwyth o benna'n codi o 'mlaen i a llais Linda Morris yn deud "O! Jyst Abi Mul sy 'na!"

Mi godais ar fy nhraed, dechra chwibanu a cherddad oddi yno yn ôl at y cwt criced.

"Aros am funud!"

O *shit*! Linda Morris a Gwyneth Price wnath fy arwain i'n ôl at Buddug Wyn. Roeddan nhw'n cael smôc. "Dwi'm yn smocio," medda fi. Ond mewn cachiad nico, roeddwn i wedi cael fy nhynnu i ganol y rhedyn a 'ngosod ar wastad fy nghefn.

"Be 'dach chi isho?" meddwn i gan drio bod yn ddidaro.

"Yli coch 'di o!" gwaeddodd Gwyneth Price.

"Cau dy geg a gad lonydd iddo fo," medda Buddug Wyn.

"Be 'dach chi isho?" meddwn i wedyn.

"Isho stag arni," medda Linda Morris. "Jyst i weld a ydi'r storis yn wir."

Yna, dyma Buddug Wyn yn dod ata i, ac ista ar fy mhen i. Mi droiodd at ei ffrindia. "Cerwch o'ma!" medda hi'n reit siarp.

"Be?"

"Cerwch o'ma!" medda hi wedyn. Ac wysg eu tina dyma'r ddwy arall yn gadael.

Dyma Buddug Wyn yn plygu lawr ata i, rhoi ei dwy law am fy ngwynab i nes oedd ei llygaid glas hi o fewn modfadd i 'ngwynab i a deud yn dawal, "Os ca i dwtsiad dy un di, gei di dwtsiad f'un i."

Mi lyncais i 'mhoeri siŵr o fod ddeg gwaith, a dwi'n gwbod bod fy ngwynab i yn gochach na stecan waed yn ffenast siop Ellis Hughes Bwtsiar ar fora Sadwrn. Dyma hi'n gofyn wedyn, "Ga i dwtsiad?"

Dwi'm yn siŵr ai fi nodiodd neu ai hi symudodd fy mhen i fyny ac i lawr, ond mewn dim dyma'i gwefusa hi yn twtsiad fy ngwefusa i, ac un goes iddi yn dod dros fy stumog i nes oeddan ni'n gorfadd yn ymyl ein gilydd. Un fflic, ac roedd botyma fy malog i'n gorad a llaw Buddug Wyn i mewn yn fy nhrôns i. Roedd hi'n dechra mwytho fy miji-bo a 'mlew bach i. Mi afaelodd yn dynn yn fy nghwd i a dechra gwasgu a gollwng. Gwasgu a gollwng. Wnes i ddim byd ond gorfadd yn ôl, cau fy llygaid a mwynhau. Doedd hon ddim yn bitsh – o gwbwl.

Yn sydyn dyma hi'n gollwng, ac yn estyn fy llaw chwith i a'i gwthio i fyny dan ei sgert a rhwng ei choesa, a rhoid ei llaw ei hun yn ôl yn fy malog i. Aeth fy llaw heibio i lastig ei nicyr. Roedd blew bach ei phin-broets hi'n wlyb i gyd.

"Hefo'n gilydd!" medda hi yn fy nghlust i. Oedd Yncl

Sam wedi deud y gallwn i fynd yn ddall wrth chwara efo miji-bo, ond soniodd o ddim byd am genod yn chwara hefo hi.

"Ty'd 'laen! *God*! Ti'n *hopless*!"

A'r eiliad nesa fe ganodd cloch diwadd amsar chwara. Fe gododd Buddug Wyn, a heb ddeud gair dyma hi'n rhedag am yr ysgol. Wrth gau fy malog, mi deimlais i 'nhrôns yn wlyb i gyd.

Ar fy ffordd yn ôl i'r dosbarth, er 'mod i'n cael y teimlad fod y genod yn chwerthin a giglo wrth sbiad arna i, roedd sbecian yn slei bach ar Buddug Wyn yn gneud iawn am hynny. Unwaith, mi ddaru hi wincio a gwenu arna i. Ac mi sylwodd Owan Bach.

"Be sy'n digwydd?" medda fo yn fy nghlust i.

"Dim byd!"

"Winc a gwên! Ti ar bromus?"

"Cau dy geg!"

Y noson honno, mi orffennais i fy ngwaith cartra mewn hannar awr. Mi drois i Radio Caroline ymlaen a gwrando a disgwyl am unrhyw gân addas i mi ei sgwennu hi yn fy nghopi-bwc. Ac mi ddaeth, cân gan Cliff Richard. Erbyn naw, roedd hi wedi cael ei chwara dair gwaith a finna wedi sgwennu hyn:

Fall in love, fall in love, fall in love with you,
Please give me one more chance
This is my first romance
Why couldn't I, why shouldn't I, fall in love with you.

Roedd o'n berffaith. Roeddwn i jyst â marw isho deud hynny wrth Buddug Wyn, a'r noson honno mi dorrais i dudalan o gefn y copi-bwc a sgwennu nodyn ati hi. Roeddwn i'n meddwl 'mod i'n glyfar iawn yn defnyddio geiria cân Cliff.

Annwyl Buddug Wyn,

Dwi wedi syrthio mewn cariad hefo chdi. Plîs ga i un
siawns arall? Dyma'r tro cynta i mi. Plîs ga i syrthio
mewn cariad hefo chdi?

Abi xxx

Mi blygais i'r papur yn sgwaryn bach a'i blygu fel amlen
yn barod i fynd i'r ysgol. Ond am ryw reswm doedd gen i
ddim gỳts i'w roid o iddi hi drannoeth.

Y nos Wenar honno mi ges i fynd hefo llwyth o hogia
eraill i den Gogls a Misty Moto-beics.

"Wnewch chi'm gesho be sy'n digwydd pnawn fory,"
medda Misty, gan ein hannerch i gyd.

"Be?" medda côr o leisia.

"Ma' Buddug Wyn yn mynd i ddangos 'i bronna. Gewch
chi'u gweld nhw am niwc a'u twtsiad nhw am dair."

Ac mi deimlais i ryw boen yn fy nghalon. Ac mi gododd
i 'mhen i. Os mai 'nghariad i oedd Buddug Wyn, pam y
dylia pawb arall weld ei bronna hi? Ai chwara hefo fi
roedd hi lawr y dibyn? Ac mi ddaeth geiria Abram Ifans
yn ôl i mi. "Fedri di ddim dianc rhagddi…" Ond doeddwn
i erioed wedi gweld bronna go-iawn o'r blaen, dim ond
llunia mewn cylchgrona yn Llofft yr Hôl yn dre. Ac roedd
y gân yn dal yn fy nghalon i, a dwi'n cofio meddwl, "Tybad
fasa'n well i mi roid y llythyr i Buddug Wyn heno?"

"Wyt *ti*'n gorod talu?" gofynnodd Owan Bach i mi ar y
ffordd adra.

"Pam ti'n gofyn?"

"Wel… winc a gwên…"

* * *

"Be sy'n bod arna chdi?" medda Anti Mabel wrth i mi estyn amlen Yncl Sam iddi bora trannoeth. "Ma' gin ti wynab fel ffidil!"

"'Im byd," medda finna'n ddidaro.

"Ty'd 'laen, Abi!" medda hi. "Deud wrth Anti Mabel! Mae 'na rwbath yn dy gorddi di, 'toes?" Yna fel petai hi'n pysgota am atab mi gododd ei haelia a gofyn, "Hogan, ia?"

Duw a ŵyr pam, ella oherwydd ei bod hitha'n edrych mor dlws, ond mi ddeudais i "Buddug Wyn!" wrthi hi.

"Wyt ti mewn cariad?" gofynnodd, gan bwysleisio pob gair.

Dwi'n gwbod 'mod i wedi cochi, ac am eiliad mi feddyliais i y basa Anti Mabel yn byrstio allan i chwerthin, ond ddaru hi ddim. Wnes i ddim byd ond nodio. Mi wenodd yn ddel arna i.

"Mae o'n beth naturiol, Abi bach. Yr oed wyt ti yn'o fo rŵan ydi'r oed lle dysgi di fwya am berthynas pobol â'i gilydd."

"Ond mae 'na betha dwi'm yn wbod..."

"Fel be?"

"...a dwi'n gwbod fod pawb yn gneud hwyl am fy mhen i."

"Be ti'n feddwl?"

Ond doeddwn i ddim yn atab yr un o'i chwestiyna. Yn sydyn roeddwn i isho deud popeth wrthi.

"Ac ma' Owan Bach yn deud fod ei dad o wedi ista lawr hefo fo un noson ac wedi deud petha am secs wrtho fo, a jyst am nad oes gin i dad, cha i ddim gwbod byth..."

Mi ddaeth Anti Mabel i ista ata i ar y soffa a gafael yn dynn amdana i. Erbyn hyn roeddwn i'n crio. Arglwydd, roedd gen i hiraeth am Dad. Ddaru hi ddim deud dim byd am sbelan, dim ond gafael yn dynn a gwasgu 'mhen i'n dynn i'w bronna. Roeddwn i'n gallu clywad ei chalon hi'n curo ac roeddwn i'n ama yn ôl sŵn ei hanadlu ei bod hitha'n crio hefyd, ond roedd hi'n gafael yn rhy dynn i mi droi fy mhen i sbio. Am rai munuda roeddwn i'n hapus, yn teimlo'n saff, ac yn teimlo fy hun yn dod dros y plwc o hiraeth. Hi siaradodd gynta.

"S'gin ti gariad?"

"Buddug Wyn."

Ac fel petai'r ddau air yna wedi agor argae llifeiriol, ymhen dim roeddwn i'n deud pob dim wrthi. Mi ddywedais i hanas dod adra o'r capal, hanas lawr y dibyn a 'mod i'n cael gweld bronna Buddug Wyn a 'mod i wedi sgwennu llythyr ati. Gwenu ddaru hi ar ôl i mi orffan. "Abi bach! Mewn amsar, mi ddôn nhw ar dy ôl di. Un ar ôl y llall, 'ngwash annwyl i."

"Ond dim ond Buddug Wyn dwi isho!"

"Rŵan, ella. Yli, pam na wnei di roi'r llythyr yna iddi be bynnag?"

"Ond ella neith hi chwerthin!"

"Be 'di'r ots? Mae *pob* hogan yn lecio sylw, 'sti..."

"Ond be os dangosith hi'r llythyr i Gwyneth Price a Linda Morris?"

"Oes gin ti gwilydd dy fod ti'n lecio Buddug Wyn?"

"Nagoes."

"Be 'di'r ots felly?"

"Chwerthin wnân nhw."

"Maen nhw'n chwerthin am eu bod nhw'n meddwl eu bod nhw'n gwbod mwy na chdi."

"Ond maen nhw!"

"Ddim go-iawn, 'sti. Maen nhw wedi gneud amball i

beth nad wyt ti wedi'i neud, ella. Ond rwyt ti'n dal yn ifanc."

"Wnewch chi fy nysgu i, Anti Mabel?"

Mi fuo'n dawal am ychydig cyn atab. "Dos adra rŵan, a dos â dy lythyr i Buddug Wyn pnawn 'ma. Ga i siarad hefo chdi eto, i weld sut aeth hi, iawn?"

Nodiais fy mhen.

"Abi?"

"Ia?"

"Os oes yna rwbath yn dy boeni di – a dwi'n golygu rhwbath – 'nei di ddeud wrtha i?"

Nodiais fy mhen yr eildro. Mi es ati cyn mynd trwy'r drws. Roeddwn i isho diolch iddi hi, ond ro'n i'n teimlo nad oedd deud hynny'n ddigon.

"Anti Mabel..." dechreuais, ac yn sydyn mi wnes i roi fy nwylo ar ei dwy foch a rhoid homar o sws iddi ar ei gwefusa, "...diolch!" medda fi, agor y drws a rhedag adra.

Wedi mynd adra, mi es i 'nghadw-mi-gei a defnyddio cyllall-carfio-cig dydd Sul i drio wanglio'r pres allan ohono fo. Pres trip Ysgol Sul oeddan nhw i fod, ond roedd Rhyl rai misoedd i ffwrdd a bronna Buddug Wyn ddim ond ychydig o oria. Wedi peth amsar mi ges i geiniog a phisyn tair allan. Mi rois i'r rheini yn fy mhocad a sleifio'r gyllall yn ôl i ddrôr y seidbord heb i Mam weld. Wrth gau'r drôr mi feddyliais i eto am fronna Buddug Wyn. Mi es i'n ôl i'r cadw-mi-gei ac estyn pishyn tair arall.

Roedd Gari Gogls a Misty Moto-beic wedi bod yn brysur. Yn sicr roeddan nhw wedi lledaenu'r newyddion da oherwydd roedd yna wyth ne' ddeg o hogia'n ciwio wrth y den pan gyrhaeddais i. Doedd Owan Bach nac Idwal Wyn ddim yno. Roeddan nhw hefyd wedi rhoid sacha dros y dail i gyd fel na fedra neb weld i mewn.

Misty oedd yn cymryd ceinioga pawb, a Gari Gogls yn gwatsiad nad oedd neb yn aros yn hwy na munud. O un i un cafodd pawb ei dro, ond mi roeddwn i'n gwatsiad pawb trwy gornal fy llygaid a welais i neb yn talu fwy na cheiniog. Pan ddaeth fy nhro i, mi rois i geiniog a phisyn tair i Misty. Mi ddaeth yna wên ryfadd i'w wynab o, a dyma fo'n rhoid ei ben heibio'r sach oedd dros y drws ac fe glywais i o'n deud, "Pedair niwc gin hwn!" Yna mi dynnodd ei ben yn ôl allan.

Mi es i mewn. Roedd Buddug Wyn yno yn y gornal bella mewn jympyr ddu drwchus. "Blydi hel! Chdi!" medda hi mewn syndod.

Dwi'n gwbod i mi gochi, oherwydd mi glywn y gwaed yn codi i 'mhen i ac roedd fy llais i'n crynu wrth i mi ddeud, "Gweld... a twtsiad."

"Well i chdi dynnu dy law o dy bocad, 'ta?" medda hitha. Roedd fy llaw dde i'n dal ei llythyr hi, ond roeddwn i wedi'i wasgu fo'n belan galad. Yna, mi afaelodd hi yng ngwaelod ei jympyr a'i chodi at ei gwddw. Am funud fedrwn i wneud dim byd ond sbio a 'ngheg yn gorad. Roedd ei chroen hi i'w weld mor wyn a llyfn, a'i bronna hi fel dwy bêl ffwtbol fach a botyma mawr brown fel hannar corona arnyn nhw. Mi es ati ac estyn fy nwy law. Roedd ei bronna'n feddal, feddal wrth i mi eu cyffwrdd ond roedd y croen brown yn galad. Mi aeth yna ias i lawr fy nghefn i. Mi grwydrodd fy llygaid i fyny at ei llygaid hi, ac roedd hi'n gwenu arna i. Roedd hi'n sbio arna i fel na wnaeth yr un hogan o'r blaen. Roeddwn i'n ama ei bod hi'n mwynhau'i hun, oherwydd mi ddeudodd yn ddistaw bach yn fy nghlust i, "Pam na fasa chdi wedi gneud hyn lawr dibyn?"

"*Time up!*" gwaeddodd Gari Gogls o'r tu allan.

Gollyngodd ei breichia a disgynnodd y jympyr ddu a 'nwylo i'n dal ar ei bronna hi.

"Digon?" Mi ddeudodd hi hynna'n fwy fel cwestiwn na gorchymyn.

Mi dynnais fy nwylo o dan ei jympyr, ac es i 'mhocad ac estyn pishyn tair arall iddi.

"*Time up!*" gwaeddodd Gari Gogls eto.

"Nach'di!" medda Buddug Wyn. "Gynno fo funud arall!" ac mi gododd ei jympyr eto. Y tro yma mi rois i fy llaw chwith tu ôl i'w chefn a'i thynnu ata i. Y munud y rhoddais i fy llaw arall ar ei bron gollyngodd ei jympyr a rhoi ei llaw dde ar du allan fy nhrowsus a gwasgu fy miji-bo fi. Ro'n i'n gwbod fod yna rwbath rhyfadd yn digwydd, oherwydd roedd honno erbyn hyn yn llenwi 'nhrowsus i. Roeddwn i'n sbio i'w llygaid hi, ac wrth i mi symud fy llaw yn ysgafn rownd a rownd ei theth hi, dyma'i llygaid hi'n cau a'i thafod hi'n dechra llyfu'i gwefusa. Roedd hi'n anadlu'n gyflymach, a dyma ryw "O!" fach yn dod o gefn ei gwddw hi.

"*Time up!*" gwaeddodd Gari Gogls eto fyth.

"Ti'n iawn, Buddug Wyn?" gwaeddodd Misty, wrth roi ei ben heibio'r sach wrth y drws. Y cwbwl welodd o oedd y ddau ohonan ni'n sbio ar ein gilydd. Roeddwn i wedi rhoi fy llaw ym mhocad fy nhrowsus i drio fflatio fy miji-bo, ac roedd jympyr Buddug Wyn yn ôl wrth ei gwasg, ond roeddan ni'n dal i sbio i lygaid ein gilydd. Mi deimlais i'r llythyr yn fy mhocad a thynnais o allan. Edrychodd Buddug Wyn heibio i mi ac ar Misty, "Fyddan ni allan rŵan!" meddai hi.

"Fo ydi'r dweutha, eniwe," medda Misty gan dynnu'i ben yn ôl allan.

"Ti'm yn deud llawar, nac w't?" medda hi wrtha i.

"Plîs…" roeddwn i am ddeud rhwbath mawr, ond mi ddaeth yna rwbath drosta i. "I chdi ma' hwnna," medda fi, gan estyn y llythyr iddi.

"Be 'di o?"

"Plîs paid â'i ddangos o i neb… a phaid â chwerthin!" meddwn inna, gan droi a gadael.

Mi redais i'r holl ffordd adra. Un peth roeddwn i'n wbod. Roeddwn i mewn cariad go-iawn. Dros fy mhen a 'nghlustia, ac roeddwn i'n methu dallt, os oeddwn i fod mor hapus pam ddiawl roeddwn i'n crio wrth redag.

Yn fy ngwely y noson honno mi fûm i'n ail-fyw profiada'r pnawn. Roeddwn i'n meddwl erbyn hyn fy mod i'n dallt. Roeddwn i'n diawlio Gari Gogls a Misty a Griff a Den, a Hywal ac Edi a Norman… yr hogia i gyd. Doedd hi ddim yn deg eu bod nhw i gyd wedi cael cyfle i weld a theimlo bronna Buddug Wyn. Roeddwn i'n *jealous*. Fi oedd i fod i sbio arnyn nhw, a fi oedd i fod i chwara hefo nhw – neb arall!

Yna mi feddyliais i am Buddug Wyn, adra yn ei gwely yn darllan fy llythyr i. Fasa hi'n dangos y llythyr i'r genod eraill a gneud hwyl am fy mhen i? Ella'i bod hi wedi'i ddangos o'n barod i Misty a Gari Gogls a'u bod nhw wedi cael uffar o laff. Oeddwn i wedi rhuthro gormod? Ddylwn i fod wedi siarad hefo hi am yr hyn roeddwn i'n deimlo? Ond y cwestiwn oedd yn llosgi oedd – fasa hi'n chwerthin am fy mhen i? "Na, ddim Buddug Wyn." Mi rois i'r radio 'mlaen yn dawal gan obeithio na fasa Mam nac Yncl Sam yn clywad llais Elvis:

Wise men say only fools rush in
but I can't help falling in love with you…

Cysurais fy hun, ac estyn fy llaw dan y cynfasa at fy miji-bo. Roedd hi'n dwllwch, a fedar boi sy'n gweld, na dyn dall, ddim gweld yn y twllwch.

* * *

Doedd Buddug Wyn ddim yn y capal fora dydd Sul, ac roeddwn i'n siomedig. Yr unig beth roeddwn i isho'i weld oedd sut y basa hi'n sbio arna i. Fasa hi'n gwenu? Fasa hi'n deud rwbath am y llythyr?

Mi es i'r Ysgol Sul hefyd, ond doedd hi ddim yno chwaith. Erbyn amsar te, roeddwn i wedi mynd i deimlo'n isel.

"Dos allan i chwara, bendith tad i ti!" medda Mam. "Ti fel hen iâr o gwmpas y tŷ 'ma!"

Mi es i gerddad. Lawr heibio'r Wern, a Thŷ Cerrig, hyd lan yr afon. Roedd fy meddwl i'n crwydro i bobman, ond wastad yn dod yn ôl at den Misty a Gogls, a Buddug Wyn. Yng ngwaelod 'Rallt Goch, mi benderfynais fynd heibio Cwt Dŵr ac at y den. Ar y ffordd, mi arhosais wrth Pwll Silidons a gafael mewn carrag fflat i weld a fedrwn i gael mwy na thair sbonc allan ohoni. Na! Dwy oedd y mwya er i mi drio tua chwe gwaith. Sbonc, sbonc a phlop! Mi fedra Misty gael pum sbonc, ac anaml iawn y bydda fo'n cael llai na thair.

Mi steddais am funud ar lan yr afon a sbio ar y dŵr yn y pwll. Roedd o'n llyfn ac yn lân. Mi blygais ymlaen i weld fy llun, ond llun Buddug Wyn welwn i. A thu ôl i'w llun hi roedd wynab Abram Ifans a'i wefusa fo'n deud "Bitsh! Bitsh! Bitsh!" Finna'n ysgwyd fy mhen. Dyn wedi ffwndro ar fin marw oedd o. Roeddwn i'n ifanc ond eto fedrwn i ddim dianc rhag Buddug Wyn. Roedd hi'n llenwi 'mhen i. Ble bynnag sbïwn i, y hi welwn i. Mi godais a dechra cerddad y llwybr ar hyd glan yr afon at y den, ac roeddwn i'n dychmygu ei bod hi yno'n cerdded hefo fi. Roeddwn i isho deud petha wrthi, ac ro'n i'n eu deud nhw'n ddistaw bach wrtha i fy hun.

Cyn bo hir mi gyrhaeddais i'r den. Roedd y sacha wedi'u tynnu, ac mi glywn i sŵn chwerthin yn dod oddi yno. Roeddwn i ar fin pesychu neu weiddi "Helô?" ond yn sydyn mi aeth pobman yn dawal. Ac mi glywn rywun yn ochneidio. Ella y dyliwn i fod wedi mynd ymlaen yn ddistaw a thrio sbecian, ond yn sydyn mi drois i ar fy sodla a'i gwadnu hi o'na. Mi redais bob cam o'r ffordd adra, a phan steddais i lawr ar fy ngwely'n y llofft ro'n i'n chwys diferyd, ac yn cwffio am wynt. Pwy tybad oedd yn y den? Dyna'r cwestiwn oedd yn chwyrlïo yn fy mhen i. Oedd Buddug Wyn yno? Os oedd hi, hefo pwy?

Ar ôl te, roeddwn i'n gwbod y basa Idwal Wyn ac Owan Bach yn galw, ond roedd be ddeudodd Idwal Wyn fel cael swadan ynghanol fy nhalcan. ·

"Ma' Misty a Buddug Wyn wedi dechra canlyn. Yn lyfi-dyfi uffernol neithiwr yn siop *chips*."

Doedd gen i ddim mynadd wedyn bod yn eu cwmni nhw. Felly mi ddeudais i fod Yncl Sam wedi gofyn i mi fynd ar negas i dŷ Anti Mabel.

"Fi sy 'ma!" gwaeddais ar ôl agor y drws cefn. Dim atab. "Anti Mabel? Fi sy 'ma!" gwaeddais drachefn, gan fynd at ddrws y pasej ac at waelod y grisia.

"Fydda i lawr rŵan!" daeth ei llais o'r llofft. Rhaid ei bod hi wedi dod i ben grisia, oherwydd mi waeddodd wedyn, ac roedd ei llais hi'n nes, "Gwna ddiod o Gorona i chdi dy hun, Abi!"

Mi sbeciais i fyny'r grisia, ac roedd hi yno, newydd droi i gerddad i'w stafall. Roedd lliain mawr gwyn am ei phen hi, ac roedd hi'n dal un arall o'i blaen, ond mi welais ei chefn noeth a'i phen-ôl wrth iddi gerddad oddi wrtha i. Mi deimlais i'n rhyfadd am funud, fel pe taswn i wedi gweld rhwbath nad oeddwn i fod i'w weld, ac eto, roedd fy nghalon i unwaith eto'n rasio'n wyllt. Mi es yn ôl i'r gegin gefn, estyn gwydr a'i lenwi i'r top hefo Corona coch.

Ymhen ychydig daeth Anti Mabel i lawr y grisia mewn *dressing gown* binc. Roedd hi wedi tynnu'r lliain oddi am ei phen ac roedd ei gwallt hi'n dal yn wlyb.

"Sori, pwt, yn y bàth oeddwn i! Gest ti ddiod?"

"Do, diolch."

"O! Corona coch!" medda hitha a mynd at y sinc i nôl cadach. "Sycha dy geg, ma' hi fel ceg clown!"

Mi edrychais yn y drych uwchben y sinc ac roedd olion y Corona'n dal yno. Rhwbiais. Edrychais ar fy llygaid; roeddan nhwtha'n goch. Oedd Anti Mabel wedi sylwi?

"Dio'm fatha chdi i ddod yma bnawn Sul," meddai.

"Dim mynadd mynd allan i chwara," medda finna. "Es i am dro, ac wedyn gwrando ar fiwsig. A sgwennu yn fy nghopi-bwc."

"Ti'n dal i sgwennu, felly?"

"Yndw. Glywis i gân *brilliant* neithiwr." Mi ddaeth hynna allan bron yn ddiarwybod i mi. "Cân gin Elvis," medda fi wedyn, dipyn bach yn gloff.

"Duw, be oedd hi? Dwi'n dipyn o ffan fy hun."

"Dwi'm yn cofio'i henw hi, ond roedd hi'n dechra 'Wise men say…' "

"Yli, ty'd i'r parlwr ffrynt am funud."

Doeddwn i ddim yn mynd i barlwr ffrynt Anti Mabel yn aml, am mai hwnnw oedd ei pharlwr gora hi. Roedd ganddi *record player* Dansette ar fwrdd bach yn ymyl y ffenast, ac wedi deud wrtha i am ista ar y soffa, estynnodd record a'i rhoi ar y Dansette. Cyn hir roedd miwsig lond y stafall. Cân Elvis oedd hi.

Mi ddaeth yna lwmp i 'ngwddw i, ac yn sydyn roeddwn i'n ôl adra yn fy ngwely'r noson cynt yn gwrando ar y gân ac yn meddwl am Buddug Wyn. Roedd Anti Mabel yn hymian hefo'r gân, ac yn edrych arna i'r un pryd.

"Mae 'na rwbath ar dy feddwl di, 'ndoes?"

Fedrwn i ddim sbio i'w llygaid hi.

"Tyrd rŵan, be sy?" Ac mi ddaeth i ista wrth fy ymyl i. "Yli, rhaid i mi fynd i fyny i sychu 'ngwallt mewn dau funud, wyt ti isho deud wrtha i?"

"Ydi o'n beth rong i feddwl am rywun drwy'r amsar?"

"Nach'di. Siŵr iawn nad ydi o ddim!" Oedodd am eiliad cyn deud, "Oes wnelo hyn rwbath â Buddug Wyn?"

Nodiais.

"Roist ti'r llythyr iddi ddoe?"

Nodiais drachefn.

"Ddeudodd hi rwbath?"

Ysgydwais fy mhen, a rhoddodd ei braich amdana i. "Be ddigwyddodd?"

Yn garbwl a thrwsgwl mi ddeudais i bopeth wrthi. Dim ond gwrando ddaru hi. Gwrando a gwenu.

"Pam wyt ti'n teimlo mor ddigalon?"

"Gin i ofn deud petha. Ofn iddi chwerthin am fy mhen i. Maen nhw i gyd yn chwerthin am fy mhen i. Dwi'n gwbod. Fi oedd y dweutha i weld bronna go-iawn. Ma'r lleill jyst yn brolio a bragio o hyd..."

Mi afaelodd Anti Mabel yn fy llaw, fel petasa hi wedi dod i benderfyniad sydyn. "Ty'd hefo fi," meddai'n dyner. Mi es ar ei hôl hi i fyny'r grisia ac at ddrws ei llofft. "'Rhosa fan'na am funud," meddai, "i mi gael tynnu'r cyrtans." Mi glywn y cyrtans yn cael eu tynnu, ac Anti Mabel yn gweiddi, "Tyrd i mewn!"

Pan es i'r stafall roedd hi'n ista ar gornal y gwely.

"Paid ti â deud dim byd wrth neb am hyn, iawn?"

"Wna i ddim."

Mi safodd Anti Mabel o 'mlaen i a thynnu'r *dressing gown*.

"Tyrd yma, a sbia'n iawn," medda hi. "Ma' pob merch a dynas 'run fath yn y bôn."

Dyna'r tro cynta i mi weld dynas yn noethlymun gorn. Roedd Anti Mabel yn anadlu'n gyflym ac roedd ei bronna llawnion hi'n codi ac yn gostwng gyda phob anadliad. Symudodd fy llygaid. Yn nes i lawr roedd ei phin-broets hi yn un anialwch mawr du. Dyma hi wedyn yn troi rownd a dangos ei thin a'i chefn i mi, yna troi'n ei hôl.

"Iawn? Dydi o ddim yn *big deal*, nach'di?"

Wyddwn i ddim be oeddwn i fod i'w ddeud.

"Os wyt ti isho twtsiad, neith o *ddim* costio tair ceiniog i chdi!"

Mi wenais a chamu 'mlaen. Estynnais fy nwylo. Roeddwn i'n ôl yn cofio am bnawn ddoe a neithiwr eto. Pinc oedd tethi Anti Mabel, nid brown fel rhai Buddug Wyn, ac roedd rhai Anti Mabel yn fwy ac yn feddalach. Mi symudais fy llaw i lawr dros ei botwm bol a rhwbio'r blew du. Roedd o fel taenu llaw dros ben oen bach.

Mi afaelodd Anti Mabel yn fy llaw a deud, "Dyna ddigon am rŵan! Y wers nesa fydd honna, iawn?"

"Iawn."

"Dwi'n mynd i wisgo rŵan. Wyt ti isho gwatsiad?"

Mi sefais yno'n syfrdan stond tra gwisgodd ei nicyr a'i bra, yna ffrog goch laes.

"Cau'r cefn i mi, Abi."

Sip a bachyn oedd yn cau'r cefn, ac mi gaeais i'r sip

yn ara bach, yna cau'r bachyn.

"Wnei di ddim deud wrth neb, na wnei?"

"Na wna. Onest."

"Reit, gwranda rŵan 'ta, rwbath wyt ti isho wbod, jyst gofyn i mi, iawn? Ac os oes yna rwbath yn dy boeni di, tyrd ti i siarad hefo fi. Mi fedra i ddysgu petha i chdi na fedar yr un ysgol, na'r un hogyn na hogan ysgol fyth eu gwneud! Ond cofia, ein *secret* ni ydi o, iawn?"

"Iawn."

Roedd fy nghalon i'n canu wrth gerddad adra. Roeddwn i wedi gweld a thwtsiad dynas noeth am y tro cynta. Nid sbecian yn slei, na gwthio 'nwylo o dan ddillad, ond gwneud hynny'n iawn. Er i mi feddwl unwaith tybad oedd be oeddwn i ac Anti Mabel yn ei wneud yn iawn, mi rois i hynny o fy meddwl yn syth. Roedd Anti Mabel wedi addo dysgu petha i mi, ac roedd hi'n gwbod.

Dwi'n cofio gorfadd ar fy ngwely y noson honno yn crynu i gyd. Roedd yna binna bach ym mhwll fy stumog i a'r rheini'n pigo, pigo'n dragwyddol. Bron nad oeddwn i'n teimlo ar brydia fel chwydu, ond nid sâl chwydu oedd o go-iawn. Fedrwn i ddim cael Anti Mabel na Buddug Wyn o fy meddwl ac roeddwn i'n cael fy nhynnu gan y ddwy. Roeddwn i isho'r ddwy. Doeddwn i ddim yn meddwl amdanyn nhw fel cariad cynta a chariad ail agos, fel roedd Abram Ifans yn meddwl am Ceridwen a Chymru. Roedd y ddwy'n gyfartal, ond un yn fwy cyfartal na'r llall. Ond, os oedd y straeon yn wir, roedd Misty wedi ennill calon Buddug Wyn o 'mlaen i.

Mi fûm yn byw ac ail-fyw yr amseroedd y bûm yn ei chwmni. Roeddwn i'n ailadrodd pob gair ddeudodd Buddug Wyn wrtha i, ac roeddwn i weithia'n gafael yn y gobennydd ac yn smalio mai Buddug Wyn oedd yn gorfadd wrth fy ochor i. Sawl gwaith y telais i bishyn tair iddi'r noson honno wn i ddim.

Wedyn mi fyddwn i'n meddwl am Anti Mabel.

"Dyna ddigon am rŵan. Y wers nesa fydd honna." Dyna ddeudodd hi. "Dyna ddigon am rŵan. Y wers nesa fydd honna."

Roedd yna addewid yn ei geiria fod yna ragor i ddod. Ond rhagor o be? Dyna oedd yn gyrru cynyrfiada drwy fy nghorff i. Dim ond ei gweld yn noeth roeddwn i wedi'i wneud. Be arall, neu faint rhagor, allwn i ei weld?

Bora trannoeth, roeddwn i'n anarferol o ddistaw wrth y bwrdd brecwast. Roedd Mam ac Yncl Sam eisoes wedi bwyta'u corn fflêcs, ac yn claddu bechdana marmalêd. Roeddwn i'n ista'n fan'no yn sbiad ar fy mhowlan ac yn meddwl am Buddug Wyn. Mam ddechreuodd.

"Be sy'n bod?"

"Dim byd."

"Dwyt ti ddim wedi twtsiad dy Weetabix!"

Roeddwn i'n troi a throi fy llwy yn y bowlan ac yn sbio ar y llefrith a'r fisgedan yn troi yn wynab Anti Mabel, yn fronna Anti Mabel ac yn bin-broets Anti Mabel. Wedyn mi fydda gwên lydan a gwallt melyn a phoni-têl a bronna Buddug Wyn yn ymddangos. Ac roedd yr hen deimlad yna'n dal i gorddi ym mhwll fy stumog i. Ar y llaw arall, doeddwn i ddim isho bod yn annifyr hefo Mam.

"Dwi'm awydd bwyd, 'chi."

Roedd Mam yn dechra gwylltio.

"Rhaid i chdi fwyta! Rhaid i chdi gael rhywbath yn dy stumog cyn mynd i'r ysgol!"

"Dwi'm yn teimlo'n dda! Reit?" Ac mi godais oddi wrth y bwrdd a'i 'nelu hi'n ôl i fyny i'r llofft.

"Ei oed o ydi o, w'sti." Mi glywn Yncl Sam yn ei chysuro

wrth i mi ddringo'r grisia.

Do'n i ddim isho mynd i'r ysgol y bora hwnnw. Roeddwn i isho aros adra, gorfadd ar fy ngwely a meddwl. Un funud roeddwn i'n gweld fy mywyd yn un llanast llwyr. Doeddwn i ddim yn gwbod be oeddwn i isho. Y funud nesa mi fyddwn i'n edrych drwy'r ffenast ac yn sbiad ar yr haul drwy goed Tai'r Eglwys ac yn meddwl peth mor grêt oedd bod yn fyw a 'mod i mewn rhyw ffordd yn mwynhau'r petha oedd yn digwydd i mi rŵan. Y petha oedd yn ddirgelwch, a'r petha oedd yn brifo.

"Abi! Mae'n chwartar wedi wyth!"

Llais larwm bỳs yr ysgol. Yr *optimist* yno fi fu drecha. Yn llawn hwylia mi waeddais yn ôl, "O ce!" Mi heliais fy mag ac estyn fy nghôt.

Wrth nesáu at y *bus stop* chwiliais am Buddug Wyn ynghanol y criw oedd wedi hel yno'n barod. Roedd hi yno ar ei phen ei hun, yn sgwennu yn un o'i llyfra. Mi es ati. Gwenodd pan welodd fi'n dod, a chyn i mi gael gwneud dim mwy na gwenu'n ôl mi ofynnodd, "Ti 'di gneud *homework Welsh*?"

"Do."

"Ga i stag?"

Bu bron i mi ddeud, "Cei, am geiniog!" ond cachwr ydw i yn y bôn.

"Cei." Mi es i fy mag a chwilio am fy llyfr.

"O'n i'm yn siŵr os mai tonna'r môr neu tona emyna oedd hefo dwy 'n'."

"Y môr," medda finna, gan ychwanegu, "Meddylia am eu siâp nhw. Fel llwyth o 'ens' – felly fydda i'n cofio." Owan Bach ddeudodd hynna wrtha i.

Roedd ei beiro yn ei cheg. "Be ga i'n frawddeg, dwa'?"

"Cafodd llawer o bobol eu boddi gan donnau'r môr?"

"Grêt!" Agorodd ei llyfr, a chan fynd ar ei chwrcwd gosododd ef ar ei glin a dechra sgwennu.

Roedd ei sgert wedi reidio heibio'i phenglinia ac mi welwn ddau ne' dri o'r hogia'n croesi'r lôn ac yn smalio edrych lawr dros y wal oedd ochor draw. Yna, roeddan nhw'n troi eu golygon yn ôl aton ni.

Roeddwn i'n edrych i lawr arni. Edrych i lawr ar y gwallt melyn, melyn. Edrych i lawr ar y poni-têl a hwnnw'n sgleinio yn yr haul. Roeddwn isho plygu i lawr, plannu fy ngwefusa yn ei gwallt ac anadlu ei harogl hi. Ac yna mi welais ei chysgod hi ar lawr… yr un siâp bron iawn â map o Gymru. Ei braich sgwennu hi oedd Pen Llŷn, a'i bag hi oedd Sir Benfro, ond roedd gan Sir Fôn boni-têl!

"Be s'gin ti hefo 'tonau' emyna?"

"Isho brawddeg wyt ti?"

"Ia, ond dim un 'run fath â chdi!"

"Mae Ellis Bwtsiar, ein codwr canu, yn defnyddio'r un hen donau bob dydd Sul!"

"Ti erioed wedi rhoi honna?" gofynnodd gan edrych i fyny arna i.

"Naddo! Un i chdi ydi hi, ond cofia newid ei enw fo!"

Roedd hi'n dal i sgwennu'n brysur pan blygais i lawr ati. "Cusana Sir Fôn!" Dyna ddywedai'r llais bach yma oedd yn gweiddi yn fy mhen i, ond yr hyn wnes i oedd sibrwd yn ei chlust, "Dwi'n meddwl bod hogia *form one* yn sbiad i fyny dy ddillad di!"

Edrychodd hitha ar yr hogia ar draws y lôn, cyn gofyn, "'Di o'n dy boeni di?"

Am eiliad fedrwn i ddim meddwl am atab. "Yndi!" meddwn, a difaru'n syth wrth deimlo'r gwaed yn codi i 'mhen i.

Mi edrychodd yn rhyfadd arna i am ennyd. Yna gorffennodd sgwennu, cau'i llyfr a chodi ar ei thraed. Diflannodd map Cymru. Mentrais eto. "Ga i ista hefo chdi ar y bŷs?"

"Cei," meddai, cyn ychwanegu, "nes daw Misty i fyny ym mhen 'Rallt Goch."

Syrthiodd fy wynab. Roedd o'n wir, felly – bodan Misty oedd Buddug Wyn. Y basdad! Rhaid mai'r ddau ohonyn nhw oedd yn y den ddoe. Dyna oedd yn mynd drwy fy meddwl i wrth gamu ar y bŷs. Roeddwn i wedi bod yn troi'r peth yn fy mhen am beth amsar wedi ista yn ei hymyl ac yn methu'n lân â gwbod be i'w ddeud nesa. Roedd fy mag i ar fy nglinia. Yn sydyn mi ledais fy nghoesa i roi'r bag wrth fy nhraed, ac wrth wneud hynny mi gyffyrddodd fy mhen-glin chwith i efo pen-glin Buddug Wyn. Fedra hi ddim fod wedi peidio sylwi, oherwydd pan sythais drachefn mi adewais fy mhen-glin yn sownd yn ei phen-glin hi.

Bu'r ddau ohonon ni felly am ychydig funuda a'r bŷs yn prysur nesáu at 'Rallt Goch. O'r diwadd mi driais i ofyn yn ddidaro mewn llais reit fflat, "Ti'n mynd hefo Misty 'lly?"

"Yndw."

"O'n i wedi clywad un o'r hogia'n deud rhwbath."

"Siarad amdana i yn fy nghefn, ia?"

Mi ddeudodd hi hynna yn hannar chwareus. Wyddwn i ddim sut i'w hatab. Roeddwn i isho deud, "Dwi'n meddwl amdana chdi drwy'r amsar, Buddug Wyn. Dwi'n gneud dim byd drwy'r dydd ond gweld dy wynab di, gweld dy wallt di, a gweld dy fronna di. Plîs wnei di fod yn gariad i mi?" Ond roedd 'Rallt Goch a Misty yn dynesu. Roedd fy mhen-glin i'n dal yn sownd yn ei phen-glin hitha. Yr hyn ddeudais i oedd, "Taswn i'n siarad amdana chdi, dim ond petha neis fedrwn i eu deud!"

Estynnodd ei llaw a'i rhoi ar fy mhen-glin i. "Iesu, ti'n foi rhyfadd, Abi! A dwi'n lecio chdi."

Cyn i mi gael amsar i'w hatab, arhosodd y bỳs ar dop 'Rallt Goch. Tynnodd Buddug Wyn ei llaw oddi ar fy mhen-glin ac estynnais inna am fy mag yn barod i ildio fy sedd. Pan godais fy mag ac edrych i flaen y bỳs, llamodd fy nghalon. Dim ond Gari Gogls oedd yno, yn cerddad yn syth aton ni. Roedd o'n sbio dagars arna i, ac mi ddeudodd wrth Buddug Wyn, "Fydd Misty ddim yn yr ysgol tan amsar cinio. Mae'i dad o wedi prynu hen fan bost ac mae o isho Misty i'w helpu o i'w pheintio hi."

Wedi deud hynna, aeth i gefn y bỳs. Ddeudodd yr un ohonan ni air am funud. Symudais fy mhen-glin eto, troi ati a llyncu fy mhwyri. "Pam ti'n meddwl 'mod i'n rhyfadd?"

Mi drodd ata i a gwenu. "Dwi ddim yn ei feddwl o'n gas, Abi, dwi'n ei feddwl o mewn ffordd neis."

Doeddwn i ddim yn dallt. Sut medrwn i fod yn rhyfadd mewn ffordd neis?

Roedd fy mhen-glin i'n llosgi pan gyrhaeddodd y bỳs yr ysgol, ac roedd Gari Gogls yn dal i sbio dagars arna i. Wrth syrthio i gysgu'r noson honno, mi ges i freuddwyd felys, felys amdana i a Buddug Wyn. Roeddwn i mewn dawns yn Feed my Lambs, yn dre, yn hwyr un noson. Roedd 'na grŵp o Lanbabo o'r enw'r Loose Covers yn chwara. Roeddwn i yno hefo Buddug Wyn, wedi bod yn y pictiwrs yn gynharach ac wedi penderfynu mynd i'r ddawns cyn mynd adra. Roedd Buddug Wyn yn felyn i gyd. Roedd ei gwallt hi'n felyn, felyn ac roedd ganddi ffrog felen lachar. Am ei thraed roedd ganddi sgidia sgleiniog, du. Esgob, roedd hi'n edrych yn dlws, ac nid yn unig roedd hi'n dlws, ond roedd hi yno hefo fi. A gen i, ac nid Misty, roedd y moto-beic. Mi ges i ddiawl o row gan ei thad am fynd â hi adra mor hwyr ond y rheswm am hynny oedd ein bod ni wedi bod yn y den am oria'n caru'n wyllt.

Roedd hi'n un freuddwyd felyn hardd a ninna'n dawnsio'n ara bach ac yn caru i gyfeiliant un o ganeuon Joe Brown and the Bruvvers:

> *That yellow dress you wore when we went dancing*
> *Sunday night.*
> *That smile you gave me in the movies when they dimmed*
> *the lights.*
> *What can I do? My memory won't let go of you*
> *I can't forget you, and that's what love will do.*

A wnes i ddim breuddwydio am un dim arall, dim ond am Buddug Wyn a fi. Dwi'n dal i gofio'r freuddwyd honno hyd heddiw. Bob un eiliad y bûm i yn ei chwmni wedi ei gywasgu i un freuddwyd mewn un noson. Un freuddwyd felyn braf, yn cael ei difetha gan un frawddeg.

A hyd yn oed heddiw, mi fydda i'n eistedd yn ôl weithia ac yn meddwl am yr union freuddwyd yna ac yn cael y teimlad braf, braf yma'n golchi drosta i. Ac mi fydda i'n dal i gofio y peth ola un yn y freuddwyd.

Map o Gymru yn gysgod ar y wal, a Sir Fôn hefo poni-têl. A llais Abram Ifans yn dŵad o ryw ddyfnder mawr i ddifetha'r cwbwl: "Hen bitsh ydi hi!"

Pennod 3

Rhaid i mi gael sigarét. Dwi'n agor y drôr bach yn y cwpwrdd wrth erchwyn y gwely ac yn estyn bocs baco Golden Virginia. Thâl gen i ddim sigarét wedi'i rowlio'n rhy dena nac yn rhy dynn, ac mae sigarét go-iawn yn rhy ddrud. Dyna pam y prynais i'r peiriant rowlio. Mae hwnnw'n gwneud sigarét i'r union drwch dwi isho. Mi fydda i'n lecio pinsio'r tamad bach o faco sy'n hongian ar odre'r sigarét orffenedig, a'i gadw fo yn y bocs, wedyn rhoi blaen tafod i wlychu'r papur cyn tanio'i blaen. Ac wrth dynnu'r swalo gynta yn ddwfn i fy 'sgyfaint, clywad y blewyn sy'n cosi'r gwddw wrth i'r mwg fynd lawr, yna'r rhyddhad, a'r boddhad o chwythu'r cyfan yn ara bach drwy 'ngheg a 'nhrwyn yn ôl i'r awyr.

Er bod smocio'n ddrwg i fy iechyd i, mae Dr Jackson a Dr Smallfoot wedi deud y ca i faco. Owns yr wsnos.

Mae 'na gân arall yn dechra wrth i mi lwytho'r drydedd ffeil ac mae llais Tecwyn Ifan yn heintus wrth i mi wrando, a chofio...

Draw dros y tonnau mae hafan fechan glyd,
Dan heulwen yn dragwyddol, mae yno'n haf o hyd;
Caf ddawnsio o flaen y pibau yng nghwmni merch fach
   dlos
A charu drwy y nos.

Roedd yna lot o betha nad oeddwn i'n eu dallt am ferched. Am rai wythnosa wedyn mi ddaru Buddug Wyn fy anwybyddu i'n llwyr. Doedd hi ddim wedi deud dim byd am fy llythyr i, ac fel yr âi'r amsar heibio mi es i deimlo'n rêl ffŵl am ei roi iddi yn y lle cynta. Ond roeddwn i'n cysuro fy hunan drwy ddadla mai bodan Misty oedd Buddug Wyn, a 'mod inna'n newid yn y cyfnod yma hefyd.

Roedd Owan Bach a finna'n llawia go lew, er ei fod o'n sôn byth a hefyd am Blaid Cymru a Thryweryn a Chymdeithas yr Iaith. Mi driodd o 'mherswadio i unwaith i fynd hefo fo i brotest, ond un peth oedd dwyn o Woolworths, peth arall oedd mynd i brotestio dros yr iaith. Mi faswn i wedi cael harnings iawn gan Mam ac Yncl Sam am golli'r ysgol i fynd ar brotest.

Pan fyddwn i'n sôn wrth Owan Bach am rai o'r caneuon glywais i ar Radio Caroline, mi fydda fo'n sôn am Gorfforaeth Lerpwl yn treisio ac yn rheibio Cwm Celyn.

"Fasa'n llawar gwell tasan ni wedi gwrando mwy ar Abram Ifans, a llai ar y blydi caneuon Susnag yma," fydda fo'n ei ddeud. A dwi'n cofio cau fy ngheg a deud yn ddistaw bach fod Owan Bach yn dechra'i cholli hi.

Doeddwn i ddim wedi sbiad ar 'run hogan arall ers misoedd, gan ddal i obeithio y basa Misty a Buddug Wyn yn ffraeo. Ond mi roedd merched yn llenwi sgyrsiau'r hogia bob dydd, hyd yn oed Owan Bach. Dwi'n cofio bod mewn un gwers fathemateg yn sbio ar y genod o un i un, a thrio dyfalu sut fydda pob un yn edrych yn noethlymun. Ond yn fy nychymyg i, bronna Buddug Wyn neu Anti Mabel welwn i o dan bob wynab, ac roedd blew du pin-broets pob un 'run fath â rhai Anti Mabel ac yn teimlo 'run fath â rhai Buddug Wyn.

Roeddwn i'n gwbod fod fy nghorff i fy hun yn newid – roedd fy llais i wedi torri, roeddwn i'n medru tyfu seidars a mwstás, ac yn shefio o leia unwaith yr wythnos. Ond Buddug Wyn oedd yn llenwi fy meddwl i o hyd ac roeddwn i wedi rhoi fy nghas go-iawn ar Misty Moto-beics. Ac mae'n siŵr mai cenfigen oedd wrth wraidd y casineb hwnnw. Y fo oedd yn cael blasu ei chusan hi, cael mwytho ei bronna hi, cael caru'n hir bob nos hefo hi.

Mi fyddwn i'n dal i wrando ar Radio Luxembourg a Radio Caroline ac yn dal i glywad caneuon da ar y ddwy stesion, a chaneuon am Buddug Wyn a fi fydden nhw o hyd. Fel honna oedd gan Herman's Hermits:

Something is happening and it started happening when you walked by.
Something is happening and it's changing everything.
Do you know why?...
Something is happening to me and I only hope the same thing is happening to you.

Ond roedd gen i fodryb i 'ngofidia. Mi fedrwn i ddeud rwbath wrth Anti Mabel, ac mi ddeudais i'r cwbwl wrthi am Buddug Wyn ac am Misty. Trio 'nghael i i fod yn fwy agored ddaru Anti Mabel, yn lle 'mod i'n cadw'r cwbwl i mi fy hun.

A dwi'n cofio'r diwrnod y digwyddodd o.

"Os wyt ti'n teimlo mor gry amdani, rhaid i chdi ddeud hynny wrthi, Abi bach!"

Doedd gen i ddim calon i ddeud wrthi mai ofn cael cweir gan Misty a Gari Gogls oedd yn fy nal i'n ôl.

"Nid Buddug Wyn ydi'r unig hogan yn yr ysgol," medda hitha. "Be am genod eraill? Nid Buddug Wyn ydi'r unig hogan does bosib?"

"Ond ma'r rhei gora i gyd yn mynd hefo hogia er'ill!" meddwn inna.

Mi fuodd yna ddistawrwydd am sbelan. Roeddwn i'n cofio'r tro hwnnw pan es i hefo hi i'w llofft. Doedd hi ddim wedi sôn gair am hynny y tri neu bedwar tro y bûm i draw wedi hynny. Roedd gen inna ofn sôn am hynny. Nid ofn chwaith, methu ffendio'r ffordd iawn i ddeud oeddwn i. Roedd gen i syniad bach wedi bod yn corddi'n fy mhen mai oherwydd fod ganddi biti drosta i ddaru hi ddangos ei chorff i mi, ond yr hyn oedd wedi aros yn fy nghof i oedd ei geiria hi: "Dyna ddigon am rŵan, y wers nesa fydd honna." Roedd hi wedi deud hynna jyst cyn iddi wisgo'i ffrog goch, ac roeddwn i wedi clywad cân gan Manfred Mann, ac roedd y geiria wedi aros hefo fi. Roeddwn i wedi eu sgwennu nhw yn fy nghopi-bwc. Felly dyma fi'n deud wrthi:

"'Dach chi'n cofio chi'n gwisgo'r ffrog goch honna, pan oeddwn i'n eich gwatsiad chi'n gwisgo?"

Daeth cyrlen o wên i gornel ei cheg.

"Be amdani?"

"Glywis i gân gin Manfred Mann am ddynas mewn ffrog goch, ond 'crimson' oedd o'n galw'r coch."

"Ac mi wnaeth y gân i chdi feddwl amdana i?"

Nodiais. "Mi sgwennis i'r geiria yn fy nghopi-bwc!"

"Ti isho'i chlywad hi eto?"

"'Di hi gynnoch chi?"

Nodiodd a gwenu. "Tyrd i'r parlwr."

Yno, mi dynnodd y cyrtans cyn estyn record o'r rac oedd ar y bwrdd bach dan y ffenast, ac wedi troi'r Dansette ymlaen, rhoddodd y record i droi:

When she walks, she moves so fine, like a flamingo,
Crimson dress that clings so tight
She's out of reach and out of sight.
When she walks by, she brightens up the neighbourhood,
O every guy would make her his, if he just could, if she
   just would.

Yn sydyn, mi wridais. Doeddwn i ddim wedi sylweddoli tan i ni wrando ar y gân i'w diwadd be oedd ystyr llawn y geiria.

"Dim ond y *'crimson dress'* oedd yn gneud i chdi feddwl amdana i?" gofynnodd yn chwareus.

"Sori!" meddwn i, gan wbod fod fy wynab i fel bitrwt.

"Paid ymddiheuro, Abi bach, mae o'n beth neis i'w ddeud wrth rywun hen fel fi!"

"'Dach chi ddim yn hen!" Fe ddaeth hynna allan fel bwlat. "Ond roeddwn i'n meddwl hefyd am be ddeudoch chi..."

Meiniodd ei llygaid.

"Pryd?"

"Mi ddaru chi sôn am y wers nesa..."

Ochneidiodd ochenaid fechan a throdd i ailchwara'r record. Pan ailddechreuodd 'Pretty Flamingo' mi aeth i ista ar y soffa.

"Tyrd yma am funud," meddai, gan smwddio lle i mi wrth ei hymyl. Es i ista ati a 'nghorff yn llawn cynnwrf. Roeddwn i'n clywad fy nghalon yn curo'n wirion. Wedi i mi ista, mi ddeudodd, "Mi leciwn i ddysgu pob peth i chdi, Abi, ond plîs paid â chymryd hyn y ffor' rong – o ran dy oed, plentyn wyt ti, a phetai pobol yn dod i wbod, mi faswn i mewn helynt dros fy mhen a 'nghlustia! Dim ond hen bobol a phobol aeddfed fasa'n potsian hefo dynas fel fi... dyliach chdi ffendio rhywun ifanc..."

"Sut fasa pobol yn dod i wbod?"

Mi gododd a mynd at gwpwrdd y seidbord. Estynnodd botal a thollti diod iddi'i hun. Roedd ei llaw yn crynu wrth ei godi i'w cheg a'i lowcio. Roedd hi'n edrych arna i'n rhyfadd, fel pe tasa hi'n trio dod i benderfyniad. Yn sydyn mi ofynnodd i mi: "Be wyt ti isho wbod?"

"Pob dim."

"A wnei di ddim deud wrth neb?"

Ysgydwais fy mhen.

Rhoddodd glec i weddill ei diod.

"Wyt ti am ddod yma fel arfar dydd Sadwrn?"

"Yndw."

"Tria beidio gadael i neb dy weld di'n dod, iawn?"

"Iawn."

"Wnei di ddim deud wrth dy fam, nac Yncl Sam, yn na wnei?"

Ysgydwais fy mhen, ond roedd Mam ac Yncl Sam yn gwbod 'mod i'n dod draw beth bynnag. Rhoddodd Anti Mabel record y Beatles ar droellwr y Dansette, a phan ddechreuon nhw ganu 'All my loving', mi ddeudodd, "Tyrd yma."

Codais a gwridais. Llyncais fy mhoer, ac eistedd yn ôl ar y soffa'n glewt a 'nwylo ar fy nglin. Petai hi'n sbio ar fy nhrowsus i, mi fedra hi weld fod gen i lwmp yn fy malog. Gwenodd.

"Dwi'n gwbod, Abi! A dwi'n dallt! Rŵan tyrd yma!"

Fel oen bach mi godais a cherdded ati. Gafaelodd â'i dwy law am fy mocha a thynnu fy mhen ati. Roedd hi'n gwenu arna i. Daeth ei gwefusa at fy ngwefusa inna a chyffwrdd. Roedd hi'n symud ei gwefusa'n ôl a mlaen, ac roedd ei thafod yn llyfu ac yn agor fy ngwefusa inna. Tynnodd i ffwrdd.

"Dwi'm yn gneud yn iawn, nach'dw?"

"Does yna ddim ffordd iawn na ffordd rong o gusanu, Abi. Gwna beth sy'n naturiol i chdi! Ymlacia. Rhwbath i'w fwynhau ydi o. Paid â dal dy hun mor stiff. Tria eto!"

Heb yn wbod i mi fy hun, estynnais fy mreichia a gafael amdani a'i thynnu ata i. Roedd hi'n gwneud sŵn bach yn ei gwddw. Llithrodd ei dwylo oddi ar fy mocha a gafael amdana inna. Gadewais fy hun i fynd ac roeddwn i mewn nefoedd. Ond roeddwn i'n ymwybodol hefyd o'r lwmp oedd yn fy nhrowsus. Mae'n rhaid ei bod hitha hefyd, oherwydd dechreuodd bwyso'i chorff yn erbyn fy nghorff inna.

Doeddwn i erioed wedi bod *all the way* fel y bydda'r hogia hyna'n ei ddeud, ac am funud roeddwn i'n meddwl y basa hynny'n digwydd yn y fan a'r lle, ond yn sydyn mi dynnodd Anti Mabel ei hun yn rhydd, a 'ngwthio i oddi wrthi. Rhoddodd sws glec i mi ar fy nhrwyn cyn deud, "Dydd Sadwrn, Abi!" A throdd eto at y cwpwrdd diod.

"Anti Mabel?"

Troes yn ei hôl. Gwenais arni, a gwenodd hitha. Ond rhyw wên fach wan oedd hi. Cystal â deud, "Dos rŵan!"

Es allan i'r nos. Roedd hi'n noson braf a miloedd o sêr bach yn wincian arna i wrth i mi gerddad adra.

Sbonciais i fyny'r grisia, a gweiddi, "Dwi'n mynd i 'ngwely!" Unwaith yr oeddwn i'n saff yn fy stafall, mi estynnais fy nghopi-bwc, troi'r radio ymlaen a gorfadd ar fy ngwely.

Roedd llunia o Anti Mabel a Buddug Wyn yn mynnu dod ata i. Roeddwn i'n teimlo dipyn bach yn euog wrth ddychmygu mai cusanu Buddug Wyn fûm i, nid Anti Mabel – ond dydd Sadwrn? Dydd Sadwrn mi gawn i fynd *'all the way'*! Neu gawn i? Doedd Anti Mabel ddim yn ymddangos yn awyddus iawn. Pam oedd hi wedi gohirio tan ddydd Sadwrn? Ella y bydda hi wedi newid ei meddwl erbyn hynny? Roedd hi'n dal i feddwl amdana i fel hogyn bach. Roedd hi'n dri deg a thair – bron i ugain mlynadd yn hŷn na fi. Ond roedd yna ugain mlynadd rhwng Ellis Hughes Bwtsiar a'i wraig hefyd, a doedd neb yn gweld dim byd o'i le yn hynny.

Mi fûm yn gwrando'n hir ar y radio am gân addas, a fuodd hi ddim yn hir cyn dod. Wedyn mi ges i bwl dieflig o euogrwydd eto. Roedd fy meddwl i'n mynnu dychwelyd o hyd at Buddug Wyn:

Her hair is soft and her eyes are oh, so blue,
She's all the things a girl should be
*   but she's not you.*

Bora dydd Gwenar, doedd Misty ddim ar y bỳs ysgol. Doeddwn i ddim i wybod hynny, ond roeddwn i wedi paratoi be oeddwn i am ei ddeud wrth Buddug Wyn y tro nesa y cawn i'r cyfle. Felly mi es i ista ati eto. Y bora yma, fodd bynnag, dwi'n cofio teimlo'n real basdad, achos ro'n i'n synhwyro fod yna newid yn digwydd i mi. Mi fedrais i ddeud fy "Hai!" arferol a dal i edrych i'r llygaid glas yna heb droi i ffwrdd. Mi fedrais i hyd yn oed wenu'n awgrymog a dal y wên nes ddaru hi sbio i ffwrdd. Dwi'n cofio mai'r diwrnod hwnnw oedd y tro cynta i mi deimlo'n reit coci a hunanhyderus yn ei chwmni.

Yn wir, cymaint oedd y newid ddaeth drosta i fel y penderfynais y byddwn cyn diwadd y dydd – yn sicr ar ôl dydd Sadwrn – wedi datgan yn glir ac yn groyw fy nghariad tuag ati, ac y bydda hi'n gadael Misty rhag blaen i ddod ata i. A doedd dim amheuaeth mai dylanwad Anti Mabel roddodd yr hunanhyder newydd yma i mi.

"Welist ti'r *Cisco Kid* neithiwr?"

"Naddo," atebais. "Mi fues i'n gwrando ar Radio Caroline. Oedda chdi'n gwbod fod y Beatles yn mynd i Japan?"

"Hen news! Roedd o yn *Fab* wsnos dweutha!"

"Roeddan nhw'n chwara cân Elvis neithiwr. Dwi'n siŵr ei bod hi wedi cael ei chwara bump ne' chwech o weithia i gyd."

"Pa un?"

Edrychais arni, ac es â 'ngheg at ei chlust gan sibrwd a phwysleisio pob gair.

"I Can't Help Falling In Love With You."

Gwenu ddaru hi a smalio 'ngwthio oddi wrthi. Fedra hi ddim fod wedi peidio dallt. Mi es ymhellach.

"Dwi wedi dysgu'r geiria hefyd!"

Roedd y llygaid glas yn pefrio.

"Dwi'n mynd i gael clywad rheini hefyd?"

Plygais yn nes ati unwaith eto. "Dim ond y chdi, ia? *Wise men say only fools rush in, but I can't help falling in love with you...*"

"Ti'n mentro!"

"Dwi wedi trio deud o'r blaen!"

"Gin ti un broblem... Misty!"

Dyna pryd y teimlis i'r bys yma'n cael ei drywanu i fy ysgwydd i.

"S'gin ti broblam clywad, oes?" Gari Gogls oedd yno.

"Nagoes, pam?"

"Gweld chdi'n sdicio dy ben i wynab Buddug Wyn."

"Be 'di hynny i chdi?" holodd Buddug Wyn.

"'Im byd, ond mae Misty'n fêt i mi."

"Gin i hawl siarad hefo pwy dwi isho!" Roedd tymer Buddug Wyn yn codi rŵan. "So watsia be ti'n 'neud, a'i ddeud!" Roedd yna fygythiad pendant yn ei geiria, ac mi gododd hynny fy nghalon inna.

Mi wyddwn i y basa Gari Gogls yn rhedag yn syth i ddeud wrth Misty. Canlyniad hynny fydda i Misty ella fy mygwth i i gadw draw, ond hefyd (a hynny oedd yn apelio ata i) mi fedra hynny olygu y bydda petha'n mynd yn ddrwg rhwng Misty a Buddug Wyn.

Weddill y siwrnai i'r ysgol mi wnes ati i dynnu ar Gari Gogls, ac i wneud i Buddug Wyn fwynhau ei hun a chwerthin. Ac mi roedd Gari Gogls, yn ôl ei arfar, yn sbio dagars arna i.

Drwy gydol y diwrnod hwnnw, bob tro y gwelwn hi yn ystod amsar chwara, ac amsar cinio, mi fyddwn yn mynd fel saeth amdani a jyst mwynhau fy hun yn ei chwmni hi. 'Run fath ar y bỳs ar y ffordd adra. Mi stwffiais ati yn y ciw a glynu'n dynn wrthi. Aeth yna iasa drwydda i. Roeddwn i'n gwthio fy nghorff at ei chorff hitha ac yn teimlo ei chynhesrwydd hi. Doedd dim rhaid i mi wneud dim byd fy hun, roedd pwysa cyrff y plant er'ill yn fy ngwthio i ati a 'nghadw'n dynn yn ei herbyn. Gwyrais fy mhen a sibrwd "Mmmmm!" yn ei chlust. Ddaru hi ddim troi, ond mi welais i'r wên. Mi welodd Gari Gogls hi hefyd, oherwydd roeddwn i'n sbio arno fo drwy gornal fy llygad.

Wedi te y prynhawn hwnnw, mi es i orfadd ar fy ngwely am ychydig. Yno, wrth edrych yn ôl ar ddigwyddiada'r diwrnod, roeddwn i'n cicio fy hun na faswn i wedi bod yn fwy ymosodol wythnosa lawar yn ôl. Roedd hynny'n amlwg yn gweithio, oherwydd doedd Buddug Wyn ddim yr un person yn fy nghwmni i heddiw. Fel arfar, mi fedra ac mi fydda hi hefyd, wedi deud petha fasa'n fy nistewi i. Nid am nad oedd gen i atab iddi, ond 'mod i cyn heddiw wedi bod yn rhy swil i'w hatab yn syth. Rhyw ofn sôn am fy nheimlada. Pam ddiawl wnes i ddal fy hun yn ôl cyhyd? Tybad ai Anti Mabel oedd wedi agor fy llygaid? Yna meddyliais am Anti Mabel, ac am yr hyn oedd yn debygol o ddigwydd drannoeth.

Roeddwn i'n dychmygu'r ddau ohonon ni'n cydorwedd ar lawr y parlwr a'r *record player* yn chwara un record ar ôl y llall. Anti Mabel yn fy nhynnu i ar ei phen a finna'n caru'n wyllt ac yn wirion hefo hi. Ond wrth dynnu fy ngwefusa i oddi ar ei gwefusa hitha ac agor fy llygaid, wynab Buddug Wyn welwn i, nid wynab Anti Mabel. Mam dorrodd ar fy myfyrdoda.

"Ei di i nôl *chips* i swpar?"

Damia! Ond dim ots, ella y basa Buddug Wyn yn y siop *chips*. Ac mi roedd! Roedd hi newydd gael ei *chips* a finna yng nghefn y ciw. Mi arhosodd i siarad hefo fi.

"A sut ma' Elvis erbyn hyn?"

"Dal i ganu! Fyddi di allan munud?"

Cododd ei llygaid a meiniodd ei cheg.

"Dwi fod i weld Misty am wyth, ond mi fydda i yma o tua saith ymlaen ma'n siŵr."

"Yn stafall y jiwc-bocs?"

"Ia."

"Ella wela i chdi, 'ta?"

"Grêt!"

Ac yna, roedd hi wedi mynd. Mi welwn y pen melyn yn diflannu dros riniog y drws. Mi fûm yn edrych yn hir ar ei hôl gan hannar gobeithio gweld y pen melyn yn dychwelyd. Ond ddaeth hi ddim.

"Powlan, ia?"

Hefo 'meddwl i ymhell, fe fuo raid i Jimi Olwen orfod gofyn eilwaith.

"Llond y bowlan, ia?"

"Ia!" atebais inna.

"Poeni fwy am dy galon na dy stumog, y? Y-hy, y-hy!" chwarddodd.

Wnes i ddim ond gwenu, talu am y *chips* a'i gleuo hi am adra. Wedi sglaffio fy mwyd, roeddwn i'n ôl yn y siop *chips* am chwartar i saith. Rhyw ddyrnaid oedd yno. Doedd Buddug Wyn heb gyrraedd, ond roedd Idwal Wyn a chriw bychan rownd y jiwc-bocs yn gwrando ar ryw gân newydd gan y Beatles. Y funud honno, doedd gen i ddim diddordab o gwbl yn y Beatles. Mi sefais yn eu cwmni yn sipian potel o Coke am ryw chwartar awr.

"Dwi'n cychwyn am adra," medda Idwal Wyn. "Wyt ti'n dŵad?"

"Mi ddo i munud."

Ac allan â fo. 'Mhen cachiad roedd o yn ei ôl, yn gweiddi arna i, "Tyrd o'ma!" meddai. "Brysia!"

Ac mi gychwynnais ei ddilyn allan. Yn y drws, fodd bynnag, daethom wynab yn wynab â Misty a Gari Gogls. Mi drois oddi wrthyn nhw a'i chychwyn hi am adra.

"Hoi!" gwaeddodd Misty. "Abi!" Ac mi roedd o'n cerddad ata i. Gafaelodd yno'i a'm hel yn ôl i mewn i'r siop *chips* ac at y jiwc bocs.

"Gwatsia'r drws, Gogls!"

Ddeudais i ddim byd nes oedd pob man wedi mynd yn dawal. "Be ti isho?"

"Be w't ti'n feddwl ti'n drio'i ffycin 'neud?"

"Be ti'n feddwl?"

"Chwara o gwmpas hefo fy modan i!"

"Siarad hefo hi, ti'n feddwl?"

"Paid â malu cachu hefo fi, mi ddeudodd Gogls bob dim wrtha i!"

"Hoi!" gwaeddodd Jimi Olwen o'r tu ôl i'w gowntar. Rhaid ei fod wedi synhwyro fod yna rwbath yn digwydd yn stafall y jiwc-bocs. "Be sy'n digwydd?"

"'Im byd!" mi glywn Gogls yn ei atab.

Tybad ai fy hunanhyder newydd wthiodd y tryc dros y dibyn? Neu tybad oeddwn i'n disgwyl achubiaeth gan Jimi Olwen?

"Ma' Buddug Wyn ddigon hen i benderfynu hefo pwy mae hi isho siarad, ista... neu be bynnag."

A dyna pryd roddodd o beltan i fi. Welais i mo'ni'n dod, ond mi darodd ei ddwrn de o ochor fy ngheg i ac wrth i 'mhen i droi mi ges i ddwrn chwith yn fy llygad. Mi es i wysg fy nhin i'r wal wrth y jiwc-bocs. Mi gnociais gefn fy mhen yn galad ar y wal, ac mi aeth popeth yn ddu. Roedd gen i ryw frith gof o glywad lleisia a gola a rhwbath cynnas yn rhedag i lawr fy moch i. Yna mwy o leisia, mwy o ola.

"Trowch o ar ei ochor..."

"Misty! Adra! Rŵan!" Llais Jimi Olwen oedd hwnna.

"Mi gleciodd ei ben yn galad..."

"Well i ni gael Doctor Darren?"

"Ti'n clywad? Abi?"

"Abi? Ti'n fy nghlywad i?"

Roedd hi'n amsar 'stwyrian a cheisiais agor fy llygaid. Fedrwn i ddim.

"Golcha'r gwaed oddi ar 'i wynab o."

Dŵr cynnas, cynnas a dwylo meddal, meddal. A

chwanag o leisia.

"Mi a' i i nôl Sam."

"Well i ti aros?"

"Be os ydi o'n *serious*? Rhaid i'w fam a Sam gael gwbod."

"Dos i sbiad os ydi Sam yn y Bwl."

Mi ges fy nghodi i eistedd ar gadair. Roedd yna freichia cynhaliol bob ochor i mi.

"Yfa hwn," medda Jimi Olwen.

Mi ges i wefus cwpan wrth fy ngwefus inna. Roedd y te yn boeth ac yn felys. Yr unig beth roeddwn i isho'i wneud oedd crio. Go damia! Doeddwn i ddim wedi dychmygu y basa'r basdad Misty yna wedi bod mor gas. Ond wedyn, petawn i'n gorfod amddiffyn Buddug Wyn rhag hogyn arall, pa mor bell faswn i'n fodlon mynd i'w chadw hi?

"Abi! Be sy wedi digwydd?" Llais Yncl Sam. Fedrwn i mo'i atab o, ond mi sbonciodd yna ddagra i fy llygaid i. Roedd yna ddynion wedi dod i'w ganlyn o o'r Bwl.

"S'gin ti boen?"

Cyffyrddais fy llygad, yna cefn fy mhen. Cododd Yncl Sam. Trodd at Jimi Olwen.

"Pwy wnaeth hyn?" gofynnodd.

"Misty – hogyn Daniel Moto-beics."

"Sut ddigwyddodd o?"

"Un munud roeddan nhw'n siarad, peth nesa oedd Abi ar ei gefn yn fa'ma."

"Pwy oedd hefo fo?"

"Gareth Owan, hogyn Stiw Gogls, ac Idwal Wyn, hogyn Simon Puw."

"Lle ma' nhw?"

"Mi aethon nhw allan cyn i chdi ddod i mewn."

"Well i mi fynd â fo adra."

Yn sicr doeddwn i ddim yn edrych ymlaen at fynd adra. Mi aeth Yncl Sam rownd gongol Bwl i nôl ei gar a pharcio tu allan i'r siop *chips*. Wedyn, mi ges fy hannar cario gan ddau ddyn i'r car ac aeth Yncl Sam a minna am adra.

"Be ddigwyddodd, Abi?"

Doeddwn i ddim yn gweld pwrpas deud dim byd ond y gwir.

"Mi fues i'n siarad hefo Buddug Wyn heddiw. Doedd Misty ddim yn yr ysgol, ac mi ddeudodd Gogls wrtho fo 'mod i wedi bod hefo hi."

"Ydi Misty a hi'n canlyn?"

"Yndyn."

Rhyw hannar chwerthin ddaru Yncl Sam. Doeddwn i ddim yn ei ddallt o o gwbwl. Roedd o'n chwerthin, a finna'n hannar marw! Roedd dychryn lond llais Mam pan aeth y ddau ohonon ni i'r tŷ.

"Be sydd wedi digwydd?"

"Ffeit."

"Ffeit! Y chdi! Hefo pwy?"

"Misty."

"Hogyn Daniel Moto-beics." Tro Yncl Sam oedd hi i atab rŵan.

"Mae o'n hŷn, ac yn fwy na chdi!" Yna cwestiwn arall yn syth ar ôl y sylw hwnnw. "Pam fuoch chi'n cwffio?"

"Dydan ni ddim yn lecio'n gilydd."

"Ma' hynny'n amlwg!"

"Mi ddechreuodd petha drw' gega..."

Aeth Yncl Sam i'r llofft, a phan ddaeth i lawr yn ei ôl, roedd ganddo fo gadach gwlanan gwlyb yn ei law. Rhoddodd y cadach oer ar fy llygad i. Erbyn hyn roedd honno wedi chwyddo fel balŵn, ac wedi dechra duo.

Mi ddechreuais hel meddylia. Beth wnawn i drannoeth? Fedrwn i ddim mynd at Anti Mabel fel hyn! Ond roedd Mam wrthi eto.

"Mi a' i i weld ei fam o!"

"Peidiwch, Mam!"

"Fedar o ddim bwlio hogyn hannar ei seis, a chael getawê hefo hynny!"

"Rhaid i'r hogyn gwffio'i frwydra'i hun, Meri."

"Fy hogyn i ydi o, Sam!"

"Plîs peidiwch mynd, Mam! Ella ga i gweir arall gynno fo fory os ewch chi!"

"Dos fyny i dy lofft ac aros yno! Dwyt ti *ddim* yn mynd i nunlla ond dy wely heno!"

Suddodd fy nghalon, ond winciodd Yncl Sam arna i a nodio'i ben i mi ufuddhau. Yn ara bach mi es i fyny'r grisia. Gallwn eu clywed yn dadla. Ymhen rhai munuda daeth Yncl Sam i fyny.

"Dydi hi ddim yn mynd?"

Ysgydwodd ei ben. "Mi a' i'n ôl i'r Bwl i weld Daniel yn y munud."

Dechreuais inna brotestio, ond doedd dim twsu na thagu ar Yncl Sam. "Dyna'r dîl wnes i hefo dy fam, ond yli, wna i ddim cega hefo fo. Dwi'n nabod Daniel yn ddigon da. Mi roia i *scare* bach iddo fo, deud dy fod ti'n giami – gwaed lond dy lygad ti, a bod yna lympia ar dy ben di, a ballu. Gadal iddyn nhw stiwio tan fory ne' ddydd Sul."

Mi es i orwedd ar fy ngwely hefo'r cadach oer yn gorffwyso ar fy wynab. Rhaid fy mod i wedi cysgu bron yn syth. Yn sydyn, roeddwn i'n effro ac roedd hi wedi twllu. Mi glywn leisia i lawr llawr, yna sŵn traed ar y grisia. Agorodd y drws yn ara a llifodd gola i'r stafall.

Gorweddais yn llonydd. Daeth rhywun at y gwely a thynnu'r cadach oddi ar fy wynab. Roeddwn i'n smalio cysgu. Pwysodd rhywun arall swits y gola. Ochneidiais, griddfanais a cheisio troi ar fy ochor. Clywais rywun yn tynnu'i wynt ato. Diffoddodd y gola. Ond ddim cyn i mi gael cip ar Daniel Moto-beic.

"Meirion ni ddaru hynna?!" gofynnodd i Yncl Sam mewn anghredinedd.

"Yn ôl Jimi Olwen a phawb arall oedd yn y siop *chips*, ia."

"Iesu, Sam, ma'n ddrwg gin i. Onest i chdi, mi leinia i o! Ac mi geith o ddod yma fory i ddeud sori."

"Poeni am yr hogyn ydw i, Dan. Nid yn unig y gnoc yna ar ei ben a'r gwaed yn ei lygad o... ma'n siŵr fydd rhaid galw'r doctor... Ond gynno fo ofn mynd allan a ballu, w'sti. Ti'n gwbod fel ma' hi wedi bod arno fo ar ôl colli'i dad..."

Rhoddwyd y cadach yn ôl ar fy wynab. Caewyd y drws ac aeth y ddau i lawr y grisia. Mi wenais yn y twllwch, a doedd dim diawl ots gen i fod hynny'n brifo.

Mi fûm yn dychmygu Daniel yn rhoi cweir i Misty. Mi fûm yn dychmygu tybad beth fydda ymatab Buddug Wyn pan glywai am y ffeit. Mi fûm yn dychmygu hefyd sut yr âi petha yn nhŷ Anti Mabel drannoeth. Cysgais yn sownd.

* * *

Pan godais i drannoeth, roedd fy wynab i fel balŵn, fy llygad wedi duo a chlais mawr cochddu hyll ar ochor fy moch. Wnes i ddim nabod fy hun wrth folchi yn y sinc ar ôl i mi godi. Damia. Damia. Damia. Be fedrwn i ei wneud? Er bod yna gnocio tu fewn i 'mhen i, doeddwn i ddim yn teimlo'n rhy ddrwg, ond be fasa Anti Mabel yn ei ddeud? Wedi rhofio dŵr oer ar fy wynab, a dal fy mhen o dan ddŵr oer yn y sinc cyhyd ag y gallwn, sychais fy wynab, gwisgo a mynd i lawr y grisia. Roedd Mam ac Yncl Sam yn fawr eu ffŷs.

"Mae o'n edrach yn waeth nag ydi o!" meddwn inna gan geisio'u cysuro. "Wir, rŵan, dwi'n teimlo'n iawn!"

"Ma' isho galw'r hogyn yna i gyfri!" oedd unig sylw Mam.

Estynnodd Yncl Sam amlen Anti Mabel i mi.

"Paid ti â bod gormod uwch dy draed heddiw. Y peth gora i ti ydi rhoi rhwbath oer ar yr wynab yna, a gorffwyso!"

Rhois yr amlen yn fy mhocad a mynd yn ara bach tuag at dŷ Anti Mabel.

* * *

Er arafed fy ngherddediad, fe arafodd fy nghama'n arw cyn cyrraedd tŷ Anti Mabel. Roedd yna ddau neu dri wedi edrych yn o ryfadd arna i wrth fy nghyfarch. Ond fe wyddwn i mai edrych ar fy wynab i oeddan nhw.

"Be ar wynab y ddaear sydd wedi digwydd i dy wynab di, Abi bach?" meddai Mrs Williams. "Sbia arno fo, Gronwy!"

"Arclwy, sut siâp oedd ar y co arall?" meddai hwnnw gan ddechrau piffian chwerthin am ben ei jôc ei hun. Rhyw hannar gwenu ddaru minna, er bod y wên honno'n brifo fy wynab i. O'r diwadd cyrhaeddais dŷ Anti Mabel. Es rownd y cefn.

Tynnais anadl ddofn cyn cnocio. Agorodd y drws ar unwaith.

"Brysia! Tyrd…" dechreuodd ddeud, ond yna fe welodd fy wynab. "Be gythgam sy 'di digwydd?" holodd gan fy nhynnu i mewn i'r gegin. Roedd Anti Mabel yn dal yn ei *dressing gown*, ac roedd ogla diod arni.

"Mi roddodd Misty wab i mi yn siop *chips* neithiwr."

"Ond pam, Abi bach?" gofynnodd gan gymryd fy wynab yn ei dwylo ac edrych yn ofalus ar y cleisia.

"Buddug Wyn!" atebais inna.

Ysgydwodd ei phen. "O'r Arglwydd! Be wyt ti wedi bod yn ei 'neud?"

"Siarad hefo hi ddoe. Ista hefo hi ar y bỳs, a doedd Misty ddim yn yr ysgol."

Fel pe bai'n deud hynny gyda rhyddhad mawr, estynnodd Anti Mabel am ei diod a'i lowcio mewn un. "Gorffwyso sydd raid i ti'i 'neud heddiw, a *dim byd arall!*" Pwysleisiodd y tri gair ola gyda gwên ar ei hwynab.

"Ond Anti Mabel…" dechreuais brotestio. Damia Misty! Dyna gychwynnodd groesi fy meddwl i, ond penderfynais falle y bydda bod yn ddistaw am ychydig yn well. Estynnais yr amlen iddi, a chymerodd hitha hi a'i gwthio i ddrôr y seld. Ches i ddim cynnig swllt gwyn.

"Pam ydach chi'n yfad mor fuan yn bora?"

"Rhyw fymryn o sheri oedd gin i ar ôl neithiwr," atebodd hitha'n gloff, ond ro'n i'n gwbod ei bod yn deud celwydd wrtha i. Roedd y botal oedd ar y bwrdd bach bron yn llawn. Bu distawrwydd am ychydig. Roeddwn i bron marw isho gofyn iddi hefyd pam ei bod hi'n dal yn ei *dressing gown*. Rhyw feddwl oeddwn i y basa hynny'n ei hatgoffa o'r rheswm dros fy ymweliad.

"Roeddwn i'n meddwl mynd i'r dre pnawn 'ma," meddai toc.

Roeddwn i'n gwbod mai chwilio am rwbath i'w ddeud

oedd hi. Felly mi fasa'n well i mi wthio'r cwch i'r dwfn.

"Ga i fynd i wrando ar recordia yn y parlwr ffrynt?"

"Cei... na chei dwi'n feddwl!" medda hi yr un mor sydyn.

"Pam?"

"Dydi'r *record player* ddim yn y parlwr."

"Ble mae o?"

"Yn y llofft."

"Ga i fynd i'r llofft, 'ta?"

"Na! Cei... o Abi!" Plannodd ei phen yn ei dwylo. Roeddwn i'n ama ei bod hi'n crio ac mi es ati. Rhoddais fy nwylo ar ei gwallt, anwesu ei phen a'i gwasgu at fy nghorff.

"Anti Mabel?"

Taflodd ei breichia amdana i. Cododd ar ei thraed a chan afael am ein gilydd aethom i fyny i'r llofft. Roedd ei llofft yn lân a thaclus. Y cyrtans heb eu hagor a'r *record player* ar y bwrdd bach yn ymyl y lamp. Roedd y gwely wedi'i daenu'n daclus a'r cwilt mawr glas wedi ei osod yn berffaith dros y cynfasa. Wedi mynd i'r stafall, mi drodd ata i a gafael yn fy wynab â'i dwy law cyn gofyn yn dawal, "Wyt ti'n iawn, Abi bach?"

Nodiais.

"Ac mi rwyt ti'n siŵr am... am hyn?"

Nodiais drachefn.

Cerddodd Anti Mabel at y bwrdd bach lle roedd y *record player* ac estynnodd ddwy neu dair record a'u gosod ar y troellwr. Cliciodd y switsh a cherddodd rownd y gwely.

"Tyrd i orfadd yn fa'ma," meddai.

Mi wnes inna hynny. Dechreuodd y gân gynta chwara. Yn ara bach mi ddechreuodd agor fotyma fy nghrys ac anwesu fy nghroen noeth. Roedd Sonny a Cher yn canu:

They say we're young and we don't know,
Won't find out until you grow;
Well I don't know if all that's true
'Cause you got me and baby I got you.

Roedd y profiad yn drydanol. Tynnais fy nghrys a 'nhrowsus a thrwy'r amsar roedd Anti Mabel yn anwesu fy wyneb, fy ngwallt, fy holl gorff. Ac roedd hi'n gwneud y cyfan mor ara, mor bendant ac mor dyner. Pan dynnodd fy nhrôns bach a dechra mwytho fy miji-bo, roeddwn i mor hapus, roeddwn i isho marw. Agorodd fotyma ei *dressing gown* a'i diosg. Doedd hi'n gwisgo dim byd oddi tanodd, ac fel yr oedd hi'n fy mwytho i, mi estynnodd ei llaw ac estyn fy llaw inna a'i harwain rhwng ei choesa. Roedd hi'n dal i edrych i fyw fy llygaid. Yn awr ac yn y man, cusanai fi'n ysgafn, a symudai ei chorff i ddangos i mi beth roddai bleser iddi.

"Www! Ia, Abi. Fan'na! Yn ara bach..." sibrydodd. "Yn ara bach..."

Dydw i'n cofio fawr ddim o'r caneuon eraill oedd yn chwara, ond pan dynnodd Anti Mabel fi ar ei phen, agor ei choesa a 'nerbyn i, dwi'n cofio gwrando ar lais Cliff Richard:

When the girl in your arms is the girl in your heart
Then you've got everything.
When you're holding a dream you've been dreaming
you'd hold
You're as rich as a king.

Yn ara bach roedd sibrydion Anti Mabel yn troi'n ebychiada ffyrnig. Roedd hi'n gwasgu'n galetach ac roedd yna daerineb yn ei symudiada. Clymodd ei choesa am fy nghefn, a chyda phob gwthiad o'm heiddo, roedd hi hefyd yn ymestyn ac yn fy nhynnu'r mymryn lleia hwnnw ymhellach i mewn iddi. Roeddwn i'n gwbod fy mod i ar fin ffrwydro, a phan dorrodd yr argae, a phan lifodd fy had, fe blannodd Anti Mabel ei dannadd yn fy ngwddw nes bu bron i mi lewygu.

Arhosais yno'n llonydd am ennyd yn gafael yn dynn ynddi. Roedd hitha wedi symud ei cheg at fy nghlust ac yn sibrwd pob math o betha nad oeddwn i'n eu dallt. Roedd yn union fel siarad babi. Yna peidiodd ei siarad ac roeddwn i'n ymwybodol ei bod hi rŵan yn crio fel babi bach oddi tana i, ac roeddwn i'n methu dallt pam.

Pan geisiais ymryddhau, fe ddaliodd fi yno'n dynn. Yn ara bach, codais fy mhen ac edrychais arni. Roedd dagra lond ei llygaid, ond roedd hi'n gwenu.

"Abi! Roedd hynna'n ffantastig!" sibrydodd, a chusanodd fi'n hir ac yn felys.

Ymhen hir a hwyr, symudais oddi arni a gorffwyso yn ei hymyl. Daliai i afael yn dynn amdana i ac felly y buom am ryw chwartar awr. Cododd ar un benelin ac edrych arna i.

"Does yna fawr ddim fedra i ei ddysgu i chdi!"

"Oeddwn i'n iawn?"

Estynnodd ei bys ac anwesu fy moch.

"Ffantastig, Abi!" Yna ychwanegodd yn chwareus, "Wyt ti'n siŵr mai dyna dy dro cynta di?"

Nodiais. Roedd y bysedd yn anwesu fy nhalcan rŵan.

"Ydi dy ben di'n brifo?"

"Nach'di, ond mae 'ngwddw i!"

Edrychodd, a phlygodd i gusanu fy ngwddw. "Sori, Abi! Mae petha fel'na'n digwydd weithia!"

Yn sydyn cododd ar ei heistedd. "Mi a' i i redag y dŵr

poeth. Mi gawn ni fàth!" meddai. Ar hynny cododd a cherddad rownd y gwely ac aeth allan. Gwyliais bob symudiad o'i heiddo nes iddi ddiflannu, yna gorweddais yn ôl a meddwl. Bûm yn ail-fyw pob eiliad o'r munuda melys. Roeddwn i'n teimlo'n rêl boi. Tybad oedd pob tro 'run fath? Ai'r un fydda'r profiad o fod gyda Buddug Wyn? Fydda hitha'n symud yr un fath? Yn brathu? Yn clymu'i hun amdana i? Clywais y dŵr yn rhedag i'r bàth, a sŵn dŵr y tŷ bach yn cael ei dynnu. Yna distawrwydd. Roedd y recordia i gyd wedi chwara. Codais a mynd at y *record player*. Tair, pedair, pump! Roedd yna bum cân wedi chwara. Codais y pump, a'u rhoi ymlaen eto.

Roeddwn i'n ôl ar y gwely yn gwrando ar Sonny a Cher am yr eildro pan ddaeth Anti Mabel yn ôl i'r stafall.

"Mae'r dŵr yn rhy boeth am funud," meddai.

Gorweddodd yn fy ymyl drachefn. Edrychais o un pen ei chorff i'r llall. Doeddwn i erioed wedi gweld merch mor agos nac mor hardd, ac mi ddeudais i hynny wrthi.

"Mi rwyt ti'n gwbod sut i ddeud y petha iawn!" meddai'n chwareus.

* * *

Ddeng munud yn ddiweddarach, roeddan ni'n dau yn chwerthin ei hochor hi.

"Rhaid i chdi godi dy benglinia!" medda Anti Mabel, "neu ffitiwn ni'n dau fyth i mewn i fàth mor fach!"

Ac yno, yn eistedd yn wynebu'n gilydd, bu'r ddau ohonon ni'n eistedd yn molchi a golchi'n gilydd. Mi fûm i'n rhwbio'r sebon meddal hyd ei bronna a'i chefn. Dan ei cheseilia a hyd ei breichia. Rhwng bysadd ei thraed a hyd ei choesa. Hyd ei stumog ac i lawr dros ei blew bach.

Gwnaeth hitha yr un fath i finna. Wedyn mi fuon ni'n sychu cyrff ein gilydd, a thrwy'r cyfan roedd Anti Mabel yn deud petha neis wrtha i. Roedd hi'n fy nghanmol i. Canmol fy nghorff i, gresynu at fy anafiada i, a chyn i mi wisgo mi gusanodd fy miji-bo. Mi wnes inna yr un peth iddi hitha. Wedi i ni wisgo a mynd i lawr y grisia, roedd hi'n tynnu at amsar cinio.

"Well i chdi fynd, neu mi fydd dy fam ac Yncl Sam yn methu dallt lle wyt ti!"

Rhoddais gusan iddi.

"Pryd ga i ddod eto?" holais, cyn ychwanegu mewn llais bach, "Ga i ddod eto?"

Nodiodd.

"Tyrd ti draw unrhyw dro wyt ti isho, Abi. A gobeithio y bydd dy ben di, a dy wddw di'n well!"

Gwenu wnes i.

"A plîs, Abi, wnei di ddim deud wrth neb?"

Ac yn sŵn y geiria yna y ffarweliais â hi.

* * *

Pan ddaeth Owan Bach heibio yn hwyr y noson honno, doedd gen i ddim 'mynadd siarad hefo fo o gwbwl. Roedd yna gymaint o betha'n gwibio drwy fy meddwl i. Yr unig beth roeddwn i isho'i wneud oedd gorfadd ar fy ngwely a meddwl ac ailgofio pob eiliad a phob munud o'r hyn oedd wedi digwydd yn nhŷ Anti Mabel y bora hwnnw. Roeddwn i droeon hefyd yn ystod y dydd wedi bod yn dychmygu be tybad oedd Buddug Wyn wedi'i ddeud wrth Misty pan glywodd hi am yr hyn roedd o wedi'i wneud.

Ond roedd gan Owan Bach un stori fawr i'w deud

wrtha i a dyna pam y gofynnais iddo ddŵad i mewn. Roedd y stori'n ymwneud â Misty a Buddug Wyn. Y stori oedd fod 'na ddiawl o le wedi bod yn nhŷ Buddug Wyn. Roedd yna lot o fynd a dŵad wedi bod yno yn ystod y dydd. Roedd Misty a'i dad a'i fam wedi bod yno ddwywaith ac roedd yna hoel crio ar wynab Buddug Wyn wrth iddyn nhw adael.

Wedi i Owan Bach fynd, mi ddaeth yna ryw wên o fodlonrwydd i fy wynab i. Eitha gwaith i'r basdad, meddwn i wrtha fi fy hun. Rhaid ei fod o wedi gorfod mynd yno i weld be oedd wedi digwydd rhwng Buddug Wyn a finna, a hitha mae'n siŵr wedi deud na fuon ni'n gwneud dim byd ond siarad. Serch hynny, doedd Misty ddim wedi galw yn ein tŷ ni fel yr addawodd ei dad. Ella y clywn i ragor gan Yncl Sam ar ôl iddo fo weld Daniel yn y Bwl y noson honno. Mi fûm yn gwrando'n astud am sŵn troed Yncl Sam yn dychwelyd adra, a phan ddaeth o o'r diwadd, fe'i clywn o a Mam yn siarad yn dawal. Mi es ar flaena fy nhraed i ben y grisia, ond roeddan nhw'n siarad yn rhy dawal i mi glywad. Mi glywais i enwi Misty a Buddug Wyn, ac yn llawn chwilfrydedd yr es i 'ngwely. Be tybad oedd wedi digwydd?

Er bod Anti Mabel yn corddi yn fy meddwl, Buddug Wyn oedd flaena yn fy mreuddwydion y noson honno. Mae'n siŵr ei bod hi a Misty wedi cael diawl o ffrae a'i bod hi wedi mynnu ei fod o a'i rieni'n cael clywad am ei hanfodlonrwydd. Mae'n siŵr ei bod hi'n difaru'i henaid ei bod wedi canlyn Misty erioed, a'i bod yn gorfadd yn unig yn ei gwely'r funud hon yn meddwl amdana i.

Mi es i gysgu yn sŵn llais Elvis Presley:

Are you lonesome tonight? Do you miss me tonight?
Are you sorry we drifted apart?

Drannoeth, chwalwyd fy mreuddwydion. Wrth y bwrdd brecwast mi ddeudodd Yncl Sam wrtha i fod Buddug Wyn yn disgwyl plentyn a'i bod hi a Misty'n mynd i briodi.

Pennod 4

*T*asa gen i botal o wisgi rŵan, mi faswn i wrth fy modd yn tywallt hannar tymblar i mi fy hun. Fyddwn i ddim yn ei ddifetha drwy roi dŵr arno fo – dim ond gadael iddo fo lithro i lawr fesul diferyn a chnesu fy stumog i. Wedi'r trydydd neu'r pedwerydd llowciad, mi fydda'n dechra codi i'mhen i. Ac yna'n ara bach mi faswn i'n gwagio'r gwydryn cyn ei ail-lenwi. Ond cha i ddim. Ma' Dr Jackson a Dr Smallfoot wedi deud nad ydw i fod i gael diferyn o alcohol. Ond mi ga i freuddwydio amdano fo. Mi ga i smalio mai wisgi ydi'r dŵr dwi'n ei dollti i'r gwydr yma rŵan. Esgus bach ei fod o'n llosgi'i ffordd i fy stumog i.

Felly'n union roedd hi hefo'r genod roeddwn i'n eu canlyn. Mi fyddwn i'n smalio mai Buddug Wyn oedd pob un ohonyn nhw. Blasu'i chusan hi drwy'u cusana nhw. Teimlo'i chorff cynnas hi yn eu cyrff nhw. Gweld dyfnderoedd ei llygaid hi yn eu hedrychiada nhw. Ei harogli hi yn eu harogleuon nhw a chlywad ei llais hi yn eu sibrwd nhw.

Ac wrth feddwi ar ddŵr potal, mi agora i'r ffeil nesa.

Dwi'n gwbod mai hanas Menna Williams, Magi Fawr a Vera sy'n hon. Mi ddarllena i'r ffeil yma rŵan, a gneud hynny wrth wrando ar Bryn Fôn:

Tri o'r gloch y bore
A dwi'n methu cysgu dim.
Tri o'r gloch y bore
A dwi isho chdi fan hyn...

Mi ddaeth yna newid mawr drosta i yn ystod y misoedd wedi'r gweir ges i gan Misty. Roeddwn i'n dal i feddwl bob dydd a bob nos am Buddug Wyn. Doedd gen i ddim diddordab mewn genod eraill o gwbwl, ond roedd Misty a Buddug Wyn yn gneud trefniada i briodi ac roedd hynny'n dân ar fy nghroen i. Fedrwn i ddim cael Buddug Wyn allan o'm meddwl. Oni bai am Anti Mabel dwi'n siŵr y baswn i wedi mynd yn dwlali. Roeddwn i'n mynd draw yno'n amlach rŵan. Ddwy neu dair gwaith yr wsnos, ac mi ddysgais i fwy yn ystod yr wythnosa hynny yn ei chwmni nag a wnes i erioed. Ac mi roeddan ni'n dau yn mwynhau hefyd.

Roedd casgliad Anti Mabel o recordia yn tyfu o wsnos i wsnos a fyddan ni byth yn mynd ar y gwely, nac iddo fo, heb roi pump neu chwech ohonyn nhw ymlaen ar y *record player*. Mi fyddwn i'n deud pob dim wrth Anti Mabel. Mi wyddai hi am gynnwys fy nghopi-bwc i. Roeddwn i rŵan yn sgwennu petha er'ill ar wahân i ganeuon ynddo fo, ond roedd y rheini i gyd wedi'u sgwennu mewn côd a dim ond fi ac Anti Mabel oedd yn dallt y côd.

Mi fydda hi'n fy holi i'n dwll am y genod yn fy mywyd, ac yn trio 'nghael i fynd i ganlyn amball un fyddwn i'n ei ffansïo, ond roedd hi, fel finna, yn gwbod yn iawn mai Buddug Wyn oedd yr unig un oedd gen i ddiddordab go-iawn ynddi hi. Buddug Wyn.

Ond doedd Mam ddim yn lecio 'mod i'n treulio cymaint

o amsar yn nhŷ Anti Mabel. Ac er i mi geisio deud mai mynd yno i wrando ar recordia roeddwn i, rhyw dynnu'i hanadl trwy'i thrwyn yn siarp fydda hi, ac mi ges i'r teimlad fwy nag unwaith ei bod hi'n ama rhwbath. Yn enwedig pan fydda hi'n deud petha fel "Gneud sôn amdanach dy hun", neu "Esgus arall i dafoda'r pentra siarad amdanon ni". A phan ges i chwaraewr recordia fy hun y Nadolig hwnnw pan oeddwn i'n bymthag oed, fe fuo'n rhaid i fy ymweliada â thŷ Anti Mabel fod yn fwy llechwraidd a chyfrinachol, ac fe ddaeth deud clwydda adra yn rhan o fywyd bob dydd.

Fedrwn i ddim gadael 'rysgol yn ddigon buan. Yn un ar bymthag oed mi ges i fy hun un bora braf yn lwmp o nerfa tu allan i siop y bwda mawr ei hun – Mr Holloway, *Manager* Woolworths dre. Pan gerddais i mewn i'r siop, y person cynta welais i oedd y bladras dew roddodd y nêl-farnish i mi erstalwm. Pan welais i hi dyma ddojo tu ôl i'r cowntar da-das a symud yn ara bach rownd y cowntar gan obeithio na fasa hi'n sylwi arna i. Mi sylwais ei bod hi erbyn hyn yn gwisgo dillad o liw gwahanol i'r genod eraill. Rhaid ei bod hi wedi dringo'n rhywun o bwys. Tybad fydda hi yn yr *interview* hefyd? Fasa'n well i mi beidio mynd? Mi allwn i ffonio o'r ciosg y tu allan a deud fy mod i'n giami? Na! Fiw i mi feddwl felly. Be oedd ots am y bladras, eniwe? Roedd 'na ddigon o amsar wedi mynd heibio ers hynny, a finna wedi tyfu a gwella'n fy ffyrdd, fel y basa Ken Griffiths yn ei ddeud yn yr Ysgol Sul erstalwm.

Yn coci iawn felly, dyma gamu o gysgod y cowntar da-das a'i hwylio hi at y drws yn y gornal hefo *'Private'* wedi'i sgwennu arno fo. Roeddwn i ar fin cnocio ar y drws pan glywais i, o'r tu ôl i mi, sŵn esgid o awdurdod.

Y bladras oedd yno.

"*Yes?*" harthiodd.

"*I got an appoitment with Mr Holloway.*"

Edrychodd arna i o 'nghorun i'm sawdl, yna cnociodd deirgwaith ar y drws. Pan ddaeth llais o'r ochor draw i'r ddôr, addasodd y bladras ei hwynab yn wên lydan, agorodd y drws a rhoddodd ei phen i mewn. Ymhen tair eiliad daeth y pen yn ôl allan. Diflannodd y wên.

"*You may go in,*" meddai'n swta.

Ac i mewn â mi. Doedd o ddim wedi newid dim. Y boi agosa o ran pryd a gwedd welais i erioed i Harry Worth, ond ei fod o'n dewach. Roedd o'n ddyn a hannar, yn dewach nag roeddwn i'n ei gofio fo. Roedd o'n gwisgo siwt dywyll. Bol fel casgan, a bresus a belt yn dal ei drowsus i fyny a sbectol ymyl ddu drwchus yn hongian ar flaen ei drwyn. Roedd o'n plastro *Brylcreem* ar ei wallt ac roedd ganddo resan wen syth fel procar ar ochr ei ben.'Radag yma, mi fyddwn i wastad yn cario fy nghopibwc hefo fi i bobman, ac yn gneud nodiada neu'n sgwennu'r petha pwysig i gyd ynddo fo. Heddiw, roedd Anti Mabel wedi gneud i mi gofio amball frawddeg Saesnag fedra ddod yn handi i mi. Rŵan, wrth ista gerbron y bwda mawr, roeddwn i'n teimlo 'nwylo yn gwasgu'r copi-bwc yn galad. Toedd fy Saesnag i ddim yn dda, ac am eiliad dyma fi'n dechra difaru na faswn i wedi gyrru llythyr at Roberts Co-op yn lle at Mr Holloway. Agorodd y bwda ei geg.

"*And why should this company of ours take you aboard, Abednego?*" gofynnodd, wedi astudio'r papur o'i flaen i edrych be oedd fy enw i.

Mi fydda Idwal Wyn yn arfar deud fod Roberts Co-op yn galw hogia oedd yn dechra gweithio yno wrth eu cyfenwau yn unig, ac roedd Yncl Sam wastad wedi deud mai pry oddi ar gachu oedd Roberts. Dyna'r gwahaniaeth rhwng Cymro a Sais debyg.

"*And why should this company of ours take you aboard, Abednego?*"

Wannwl! Mi fuo bron i mi chwerthin yn ei wynab o. Roedd o'n swnio'r un fath â chaptan llong, ond fel deudais i, roedd Anti Mabel wedi dysgu brawddeg neu ddwy o Saesnag da i mi a finna wedi'u sgwennu nhw yn fy nghopibwc. Cofiais.

"*I think my future lies with your company. My Anti tell me it better to start at bottom and be going up. That's what I will do – go right up to the top.*"

Ew! Rhaid 'y mod i wedi plesio, oherwydd mi wenodd fel giât arna i. Wedyn mi ddeudodd rwbath am '*attitude*'. Be bynnag oedd hwnnw, roedd o gen i yn ôl Mr Holloway. Dyn neis. Os oedd 'y nghalon i'n curo'n mynd i mewn i'w swyddfa o, roedd hi'n canu'n dod allan, a finna'n gweld fy hun yn codi'n ara bach drwy'r cwbwl. Ella, ymhen rhai blynyddoedd, y baswn inna'n medru cael Ford Consul mawr du hefo seti coch, a hwnnw'n sgleinio fel un o geir cnebrwng Brian Owan yr *Undertaker*.

"*You will be hearing from the company, Abednego, but I must tell you that after interviewing you I do feel a little apprehensive about my own job!*"

Roedd hynna'n swnio fel petasa fo wedi lecio'r hyn roeddwn i wedi'i ddeud. Roeddwn i'n chwibanu mynd i lawr y grisia, ac allan â mi i lawr y siop. Mi es i rownd y counteri i gyd, yn union fel petawn i'n rheolwr yn barod. Yna mi ddaeth y bladras ata i. Oedd hi'n cofio, tybed?

"*Looking for something?*"

"*I been for the interview.*"

"Siarad Cymraeg?"

"Yndw."

"Ddeudodd o rwbath wrthat ti?"

"Llythyr yn post medda Mr Holloway."

"Oedd o'n gwenu?"

"Oedd."

"Ti'n iawn 'lly!" A dyma hi'n gwenu mor llydan nes i'w dannadd hi i gyd ddod i'r golwg. Rhai mawr melyn a brown fel cerrig milltir ar y top, a stympia bach brown a du ar y gwaelod. Ond nid smalio gwenu roedd hi.

"Mi 'drycha i ar dy ôl di os cei di job." A dyma hi'n rhoid pwniad bach i 'mhenelin i cyn deud yn ddistaw yn fy nghlust i, "Ond fydd rhaid dy gadw di oddi wrth y cowntar mêc-yp yn bydd?!"

Teimlais i'r gwaed yn codi'n syth i 'ngwynab i. Hannar gwenu ddaru fi, ac roedd ei cheg hi unwaith eto fel plu ceiliog ffesant. Mi es allan o'r siop ac i wynab haul y bora. Roedd hi'n grêt bod yn fyw!

Roedd gen i chwe swllt yn fy mhocad, felly dyma benderfynu mynd i'r Castle am hannar bach sydyn.

"How old are you?" surbychodd rhyw hen *ostrich* o ddynas oedd yn bowdwr ac yn baent ac yn blu i gyd y tu ôl i'r bar.

"Eighteen since last week," medda finna'n ddiniwad ac yn glwyddog i gyd.

"What do you want?"

"Half a pint of shandy," medda finna.

Wedi talu, mi es i ista i'r gongol i bwyso a mesur fy mywyd. Roedd 'na gynyrfiada'n llifo drwy 'nghorff i. Roeddwn i fel pe bawn i'n gwbod fod yna un cyfnod yn gorffan ac un arall ar fin dechra, felly dyma fi'n estyn fy nghopi-bwc ac yn dechra troi'r dalenna. Roeddwn i'n gwbod fod y tudalenna'n llawn am Buddug Wyn er ei bod hi a Misty Moto-beics wedi priodi ac yn disgwyl eu hail blentyn erbyn hyn. Doeddan nhw ddim yn dŵad allan hefo'r criw dim mwy. Mynd eu ffordd eu hunain oeddan nhw. Pan fyddwn i'n teimlo'n isal weithia, fydda ond rhaid i mi feddwl am Buddug Wyn ac mi fydda hynny'n ddigon i wneud i deimlada braf ddŵad drosta i i gyd. Weithia mi fyddwn i'n dychmygu fod yna rwbath mawr 'di digwydd i Misty Moto-beics ac mai fi oedd yr un y bydda Buddug Wyn yn troi ato am gysur. Yr hyn fydda'n mynd trwy fy meddwl i fydda cân Twinkle am Terry, a phan fyddwn i'n clywad y gân honno, mi fyddwn i'n dychmygu mai Buddug Wyn a Misty fydda wedi ffraeo am ei bod hi wedi mynd allan hefo fi un noson. Mi fydda Misty'n myllio, rhoid jymp ar ei feic ac yn sgrialu mynd...

He rode into the night
Accelerated his motor bike
I cried to him in fright
Don't do it, don't do it, don't do it!
...we had a quarrel, I was untrue on the night he died.
Please wait at the gate of heaven for me – Misty.

Ac yn ei galar, yr unig un oedd gan Buddug Wyn i droi ato oeddwn i, ac mi fyddwn i yno 'yn graig safadwy mewn tymhestloedd', fel y bydda Ken Griffiths wastad yn ei ddeud yn ei weddïa. Ond yn ddistaw bach, roeddwn i'n gwbod fod Buddug Wyn wedi mynd o 'ngafael i ond 'mod i'n gwrthod gollwng. A phan fydda'r ffaith honno'n treiddio i'r byw go-iawn, mi fydda 'na boen bach yn ochor fy 'senna i, ac mi fyddwn i'n rhoi rhyw ochenaid fach. Nid yn unig roedd Misty yn fasdad, roedd o hefyd yn fasdad lwcus.

Wrth edrych yn ôl dros y tudalenna, oedd bron â llenwi'r copi-bwc erbyn hyn, mi aeth yna iasa i lawr fy asgwrn cefn i. Tybed be fasa wedi digwydd petawn i wedi bod yn llai o gachwr ar ôl y gweir, ac wedi mentro deud wrth Buddug Wyn sut oeddwn i'n teimlo amdani? Fasa hi wedi 'newis i yn hytrach na Misty? Ond wedyn, rhaid 'mod i'n naïf iawn i feddwl hynny – onid Misty oedd tad ei phlentyn hi? Ond roedd edrych yn ôl, a chofio rhai o'r petha oedd wedi mynd trwy fy meddwl i yn ystod y misoedd a'r blynyddoedd dweutha, yn gneud i mi deimlo'n well.

Mi gymerais i sip o fy shandi, ac edrych o 'nghwmpas. Roedd hi'n dal yn rhy gynnar iddi fod yn rhy lawn, a doedd 'na neb roeddwn i'n ei nabod yn y bar chwaith. Be ddiawl oedd pwrpas mynd yn ôl i'r ysgol? Mi allwn i aros yn y gornal fach yma am awr arall, a chael porc pei ac ŵy 'di biclo i ginio.

Yn sydyn, wrth droi dalenna'r copi-bwc, arhosodd fy llygaid ar enw mewn prif lythrenna. 'Menna Williams' darllenais i mi fy hun yn ara bach, wrth ddatrys fy nghôd cyfrin. Roeddwn i'n cofio'r noson y bu bron i mi fod yn arwr yn dda.

Hi oedd Buddug Wyn hefo gwallt du, oherwydd roedd ganddi hitha boni-têl, ond ei fod o'n ddu bitsh. A hi hefyd oedd y gynta ges i ar ôl Anti Mabel...

Yn Caffi Majestic roeddan ni, newydd fod yn gweld *The Longest Day*, ac roeddwn i ac Owan Bach, Stallion a Pwd yn cael Coke cyn mynd i nôl gwerth chwech o *chips*, ac wedyn cerddad rownd dre. Roeddan ni'n siarad hefo Menna a chriw o genod 'rysgol pan ddaeth Jorji i mewn. Mae Jorji'n iawn, ond wedi peint neu ddau mae laff yn medru troi'n rhwbath arall. Roedd Menna wedi mynd i nôl dwy botal, ac yn eu cario nhw'n ôl at ein bwrdd ni pan ddaeth hi wynab yn wynab â Jorji.

"Cwôô!" medda Jorji wrth lygadu'i bronna mawr hi. "Betia i di fedra i 'neud i'r rheina woblio heb dwtshad yna chdi."

Fasa'n well i Menna fod wedi cau'i cheg, ond mi heriodd o. "Dyro swllt arni, 'ta?"

"Pishyn chwech!" medda Jorji a gwên yn llenwi'i wynab o.

"Ti'n mynd i 'neud i 'mronna i woblio, a dwyt ti ddim yn mynd i dwtsiad ynddyn nhw?"

"Cweit reit."

"A dwyt ti ddim yn mynd i dwtsiad yn'a inna chwaith?"

"Nach'dw."

"Wyt ti'n mynd i daflyd rhwbath ata i?"

"Nach'dw."

Meddyliodd Menna am ennyd. Erbyn hyn roedd pawb wedi dod rownd, ac yn edrach ar Jorji.

"Reit!" medda Menna. "Dyro dy bishyn chwech i Abi, ac mi wna inna'r un fath." Fi felly oedd ceidwad y pwrs. Wrth estyn ei chwechyn i mi fe blygodd Jorji ata i a deud yn ddistaw, "Dwi isho fo'n ôl, y cwd, neu mi gei di ffwc o gweir."

Sgwariodd Menna nes oedd hi'n sefyll o flaen Jorji. Yna, dyma Jorji'n dechra gneud *war dance* o'i blaen hi. Yn union fel un o'r *chiefs* fydda'n ymosod ar *wagon train*. Yna'n ddirybudd, dyma Jorji'n mynd tu cefn i Menna, estyn ei ddwy law rownd a gwasgu a bownsio'i bronna hi i fyny ac i lawr. Mi drodd hi rownd a rhoi clecsan galad iddo fo ar ochor ei wynab. Dechreuodd pawb chwerthin.

"Oedd hynna'n werth chwe niwc!" medda Jorji, a rhoid winc arna i.

Mi estynnais i'r ddau bishyn chwech o 'mhocad a'u rhoi nhw i Menna.

"Be ddeudodd o wrtha chdi gynna?" gofynnodd Menna i mi'n hwyrach.

"'Im byd," medda finna'n ddidaro.

Dyma hitha'n codi'i sgwydda, cystal â deud "Paid â deud 'ta'r cwd!" Ar y ffordd allan, roedd Jorji'n disgwyl. "Lle mae 'mhres i?" gofynnodd.

"Roish i o i Menna," medda finna. "Dyna'r bet."

"*Deliver*, y cwd bach!" medda fo, gan ddal ei law allan. "Mi gest ti werth chwe niwc o sioe."

Rhaid 'mod i wedi oedi'n ormodol, oherwydd y peth nesa dwi'n ei gofio oedd pâr o ddwylo yn gafael yn fy siaced i, a Jorji'n fy lluchio i'n galad yn erbyn y wal. Mi ddaliodd fi'n hongian yn fan'no am rai eiliada hefo'i law dde, tra oedd o'n mynd trwy 'mhocedi hefo'r llall. Mi fachodd y diawl 'y mhres i gyd. Hannar coron a 'chydig o geinioga. Ro'n i'n teimlo fy hun yn mynd yn rhyfadd i gyd. Dwi'n siŵr fod y gwaed i'w weld yn codi i 'mhen i. Roedd y lle i gyd yn dechra troi. Mi glywais i rywun yn gweiddi "Hoi!", wedyn mi glywais i glec, ac mi es i gysgu. Am eiliad roeddwn i'n ôl yn y siop *chips* a Misty, nid Jorji, oedd o 'mlaen i.

Roedd hi'n rhai oria (o leia dyna roeddwn i'n feddwl) cyn i mi ddod ata fi fy hun, ond yn ôl y cloc ar wal y caffi, pum munud oedd 'na ers pan oeddwn i wedi gadael y byd 'ma. Roedd fy mhen i'n gorffwys ar rwbath meddal, ac roedd yna law dyner yn taro fy moch yn ysgafn ac yn gofyn, "Wyt ti'n iawn? Be ddigwyddodd?"

"Blydi Jorji roth beltan iddo fo," medda rhywun.

"Mi hitiodd o 'i ben wrth ddisgyn dwi'n meddwl."

"Bwli uffar," meddai llais arall.

"A dwyn 'i bres o!" cynigiodd llygad-dyst arall.

Fûm i ddim yn hir cyn dod ata fi fy hun, er 'mod i'n reit wobli ar fy nhraed. "Cerwch chi, genod," medda Menna. "Mi arhosa i hefo Abi am sbelan."

Ac yno y deudais i'r stori i gyd wrthi hi. Mi blygodd ata i, gafael yn fy mhen i, a'i wthio fo i'w bronna. "Sioe gwerth chwech, ia!" medda hi, a rhyw olwg bell yn ei llygaid. Yna newidiodd. Roedd hi'n edrych yn syth i fy llygaid i. "Pryd, a sut wyt ti'n mynd adra heno?"

Mi rois fy llaw yn fy mhocad i 'neud yn siŵr fod *return* y bŷs yn dal gen i. "Bŷs ddeg," atebais inna.

"Hannar awr s'gin ti. Ti isho *chips*?"

"S'gin i'm pres."

"Fedri di godi?"

Nodiais.

"'Nawn ni gerddad i Goed Helen. Gawn ni *chips* i ddechra, ac wedyn," dyma hi'n aros am eiliad a gwenu, "gei di werth chwech o sioe cyn dal dy fŷs adra!" Fe ddaeth yna wên i 'ngwynab i. Yn lle llygaid glas a gwallt melyn Buddug Wyn, mi welwn i lygaid duon a gwallt duach Menna. Nid Menna, ond Buddug Wyn oedd yn cynnig hyn i mi. Dyna pam yr es i hefo hi i Goed Helen. Dyna pam y collais i'r bŷs adra.

"S'gin ti ffrenshan?"

"Oes, pacad cyfa."

Y munud y croesodd y ddau ohonan ni Bont 'Rabar mi gyflymodd cerddediad Menna. Roedd hi'n fy nhynnu ar ei hôl. Ac roedd hi'n ddi-lol wrth garu hefyd. Ddaru hi ddim boddro tynnu'i nicyr, dim ond ei symud i un ochor. Un fflic ac roedd fy malog i'n gorad a finna'n cael fy nhynnu ar ei phen.

"Agora dy grys!" meddai wrth godi'i jympyr a'i bra.

"Mi fydda i'n lecio teimlo cnawd noeth ar fy mronna!"

Ac yn y twllwch o dan y coed, Buddug Wyn oedd yn griddfan oddi tana i. Buddug Wyn oedd yn brathu fy nghlust i, ac yng nghlust Buddug Wyn y bûm i'n sibrwd lol babanaidd. Mi edrychais eto ar fy sgwennu yn fy nghopi-bwc a gwenu. Roeddwn i wedi sgwennu ar ôl ei henw hi: Buddug Ddu!

Welais i mohoni wedyn am sbelan hir, ond y rheswm y cofiais i am Menna rŵan oedd 'mod i wedi clywad ei bod hi erbyn hyn yn gweithio yn Woolworths. Mi ges i'r awydd mwya uffernol i biciad yn ôl yno 'rôl gorffan fy niod, jyst i weld, ond penderfynu peidio wnes i yn y diwadd. Mae'n siŵr y baswn i'n dod ar ei thraws pe cawn i waith yno.

Mi arhosais i yn y Castle am hannar awr dda arall. Mi ges i borc pei, ŵy 'di biclo a pheint o brown mics i ginio. Mi sgwennais i hefyd hanas cwarfod Mr Holloway. Mi fasa'n neis edrych yn ôl rywbryd a chofio heddiw rywdro eto. Yr unig beth arall dwi'n gofio meddwl wrth sglaffio 'mhei oedd, tybad be oedd Buddug Wyn yn 'i 'neud y funud honno?

* * *

Dau ddiwrnod wedyn mi ddaeth llythyr Mr Holloway. Roeddwn i fod i fynd i'w weld o y cyfla cynta gawn i, ac wedi hynny os oeddwn i isho, roeddwn i'n cael cynnig gwaith ar dreial o chwe mis. 'Runig beth glywodd Mam oedd "Iahŵŵ!" fawr yn clecian drwy'r tŷ.

"Be sy'n bod?"

"Llythyr gin Woolworths! Chwe mis o dreial!"

Mi afaelodd amdana i a 'ngwasgu i'n dynn. "Mi fasa

dy dad yn falch ohona chdi, 'ngwash i!" medda hi gan bwysleisio pob un gair. "Be fasa dy dad yn 'i ddeud, dŵad?" medda hi wedyn. "Mi fasa'n siŵr o ffendio rhyw air o'r Beibl at yr achlysur!"

"Ga i agor banc *account* rŵan!"

Nodiodd.

"A chael *cheque-book*!"

Sychodd Mam ei dwylo yn ei ffedog, yna wedi edrych arna i eto a gwenu, mi gododd ei ffedog at ei llygaid a phlannu'i hwynab ynddi. Roedd hi'n ysgwyd i gyd.

"Be sy, Mam?" meddwn i, ddim yn siŵr iawn ai chwerthin 'te crio roedd hi.

"Rwbath ddoth drosta i, 'ngwash i," medda hi mewn llais crynedig. "Mae o 'di mynd rŵan."

Mi es i ati a gafael amdani. Tybad oedd y teimlad ddaeth dros Mam rwbath yn debyg i'r teimlada roeddwn i'n eu cael weithia am Buddug Wyn? Os oeddan nhw, ella fod Mam yn dal i feddwl am Dad weithia, er ei bod hi rŵan yn byw hefo Yncl Sam. Wrth afael am Mam yn y pasej mi groesodd fy meddwl inna, tybad fyddwn i'n dal i feddwl am Buddug Wyn ymhen blynyddoedd? Ella, hyd yn oed, nes y byddwn i'n marw?

Am wn i, dyna'r adag y teimlais i agosa at Mam, ac yn sicr dyna'r un o'r ychydig droeon y rhannodd hi unrhyw fath o lawenydd hefo fi. Y peth nesa ddigwyddodd oedd fod Mam yn fy ngwthio i oddi wrthi. "Yli, mi wna i banad i ni. Fydd raid i chdi gael trowsus a chrys a thei newydd." Oedodd am ennyd eto, ac ysgydwodd ei phen, "A phâr o sgidia!" ychwanegodd. Ac yn sŵn llestri'n clindarddach yn y gegin fach, mi ddaeth Mam ati'i hun. Mi gawson ni banad boeth, a Mam yn fwy na fi'n gneud plania. Roeddwn i ar dân isho mynd i ddeud wrth Anti Mabel.

Mi gymylodd wynab Mam pan ddeudais i hynny wrthi. Ac mi chwalodd hynny unrhyw agosatrwydd roeddwn i wedi'i deimlo ati funuda ynghynt.

"Paid ti â bod yn hir, 'ta." Roedd yna awgrym o gerydd yn ei llais hi.

"'Dach chi'n gwbod fel ma' Anti Mabel yn siarad!"

"Nid dim ond siarad mae Mabel yn medru'i 'neud!"

Am un eiliad hir mi feddyliais i fod Mam yn gwbod. Roedd yna bob matha o betha yn rasio drwy fy meddwl i. Oedd hi wedi dallt fy nghôd cyfrin i, ac wedi darllan y copi-bwc? Oedd Anti Mabel a hitha wedi cael ffrae, a hitha wedi deud rhwbath wrthi? Pwy arall fasa fod wedi medru deud?

"Be 'dach chi'n feddwl?" medda fi, gan drio bod yn naturiol.

Mi eisteddodd am funud yn fy ymyl i. Mi fuo hi'n ddistaw am ychydig fel petai hi'n pwyso a mesur beth i'w ddeud, neu ella sut i'w ddeud o.

"Ma' Yncl Sam wedi deud lot wrtha i amdani," medda hi'n ofalus. "A dw inna'n gwbod lot hefyd."

"Be 'dach chi'n feddwl? Dwi'n mynd yno bob dydd Sadwrn ers blynyddoedd!" Am funud mi feddyliais i 'mod i wedi rhoi fy nwy droed yn'i. "A 'dan ni'n gwrando ar recordia a chael sgyrsia difyr."

"Ti'n mynd yno'n amlach y dyddia 'ma! Dim ond siarad 'dach chi, gobeithio?" medda Mam fel bwlat. Mi groesodd fy meddwl i nad newydd feddwl am hynny roedd hi, ac roedd 'na rwbath yn nhôn 'i llais hi'n swnio'n wirion i mi.

"Be arall fasa ni'n 'neud?" Roedd fy llais i wedi codi fymryn. Ond peth nesa, roedd Mam wedi newid eto. Roedd y plwc gwirion ddaeth drosti wedi pasio.

"Dos di draw i ddeud wrthi, 'ngwash i. Dwi'n siŵr y

bydd hi'n falch o glywad amdana chdi."

Wrth gerddad i dŷ Anti Mabel roedd fy meddwl i ar eiria Mam. Oedd hi'n ama rhwbath? Neu ella mai fi oedd yn hel meddylia? Yn sicr doedd hi erioed wedi sôn cymaint am hyn o'r blaen. Amball frawddeg sarcastig, do. Ac roeddwn i'n cael y teimlad, yn enwedig pan oeddwn i'n iau, ei bod hi'n falch o 'ngweld i'n diflannu bob bora Sadwrn iddi hi ac Yncl Sam gael llonydd. Pam oedd hi'n gofyn, tybad? Yna mi feddyliais, tybad oedd yna hogia eraill yn mynd i weld Anti Mabel? Oedd 'na straeon amdani yn cerddad y pentra? Ond mi ddeudodd Mam ma' Yncl Sam oedd wedi deud rhwbath wrthi. "Wel," cysurais fy hun, "mi fuodd o'n briod iddi am flynyddoedd. Ella mai talu'n ôl yr oedd o."

Ysgwyd 'i phen ddaru Anti Mabel pan glywodd hi am fy joban newydd i yn Woolworths, yn union fel y gwnaeth Mam.

"Ac mi rwyt ti'n hedfan y nyth!" medda hi. "Tyrd yma, 'nghyw annw'l i!"

Mi es i ati ac fe afaelodd yn dynn amdana i. "Cofia di fod dy Anti Mabel yma os byddi di isho rhwbath. Rhwbath!" medda hi gan ailadrodd y gair dweutha, a rhoid sws i mi ar dop fy mhen. Yn sydyn mi ges i hen awydd, ac mi symudais fy nwylo o'r tu ôl i'w chefn i fyny at ei bronna.

"O! Abi!" medda hi, gan gau'i llygaid. Yna fel pe bai'n deffro drwyddi mi ddeudodd. "Well i ni fynd i'r parlwr cefn! Rhag ofn fod 'na lgada bach yn sbecian arnan ni yn fa'ma!"

Roedd hi'n glinsh hir, a bysadd Anti Mabel yn dawnsio dros flaen fy nhrowsus a finna'n dal i afael yn dynn ynddi hi. Tra oeddwn i'n gafael amdani, mi gofiais i'n sydyn be ofynnodd Mam i mi amdani. Sut fasa hi'n ymatab petawn i'n gofyn hynny iddi? Ond yn sydyn, mi fferrodd Anti Mabel.

"Tydi hyn ddim yn iawn, Abi!" medda hi, a 'ngwthiad i oddi wrthi. "Dwi ugian mlynadd yn hŷn na chdi!"

"Roeddach chi ugian mlynadd yn hŷn na fi'r tro cynta hefyd!" meddwn i, gan drio deud hynny'n ysgafn. Mi drodd oddi wrtha i, a bu'n ddistaw am sbelan. Yn sydyn roeddwn i'n gwbod ei bod hi'n crio. Nid crio bach, ond crio mawr. Roedd hi'n ysgwyd crio. Mi es i ati a gafael amdani a mynd â hi at y soffa.

"Plîs peidiwch â crio, Anti Mabel!"

Mi gododd a mynd at y seidbord. Agorodd y cwpwrdd diod ac estyn potal o wisgi a thollti diod mawr iddi hi'i hun. Wedi cymryd dwy neu dair swig mi ddaeth yn ôl ata i.

"Ar y dechra, Abi, pan ddechreuodd hyn i gyd rhyngddon ni, jyst trio dy warchod di oeddwn i. Ti'n dallt?" Mi wyddai yn syth nad oeddwn i'n dallt.

"Nid hefo hen ddynas fel fi y dylia llafn ifanc fel chdi gael dy brofiada cynta, ond hefo genod 'run oed â chdi dy hun. Ond roedda chdi mor annwyl, mor ddiniwad, mor ddiamddiffyn." Arhosodd i gymryd jòch arall. "Roeddwn i wrth fy modd dy fod ti'n fodlon ymddiried popeth i mi. Pan adawodd Sam fi, doedd gin i neb. Roeddan ni wedi trio cael plant ac wedi methu. Roeddwn i'n unig, ac mi roeddwn i'n dy weld di yn debyg iawn i mi."

"Ond dwi'n falch eich bod chi wedi dangos petha i mi."

"Dydi o ddim yn iawn, Abi bach, dydi o ddim yn iawn. Yn gynta peth, rwyt ti… wel mi *roedda* chdi dan oed. Mi fedrwn i fod yn y jêl ar fy mhen!"

"Faswn i byth 'di deud!"

"Dwi'n gwbod hynny, del."

"Anti Mabel?" Roeddwn i wedi penderfynu gwthio i'r dwfn. "Pam ddaru Yncl Sam eich gadael chi a mynd i fyw at Mam?"

"Ti'm isho gwbod, Abi!"

"Oes. Plîs."

Oedodd am funud cyn atab. "Mi ges i affêr, a plîs paid â gofyn dim mwy."

"Ond pam aeth o at Mam?"

"Roedd dy fam angen cysur, ac roedd Sam wrth law."

"Ydech chi angen cysur… rŵan?"

Mi edrychodd arna i mewn ffordd ryfadd am ychydig, ac roeddwn i'n meddwl yn siŵr ei bod hi'n mynd i dorri allan i grio unrhyw funud. Roeddwn i'n difaru 'mod i wedi gofyn.

"'Dach chi'n meindio 'mod i'n gofyn?"

"Wrth gwrs nad ydw i'n meindio dy fod ti'n gofyn, ond…" mi aeth ei llais hi'n fach.

"Anti Mabel? Be sy'n bod?"

"Ti'm yn dallt? O'r Arglwydd! Dos o'ma! Plîs dos o'ma!"

Roeddwn i'n trio meddwl be ddiawl ddeudais i o'i le. Roedd hi wedi gweiddi'r ddwy frawddeg ola'n reit hyll arna i. Mi ddeudais i "Sori!" reit dawal. Roedd fy llais inna'n dechra crynu, ac mi godais i adael. Roeddwn i'n hannar disgwyl iddi godi neu ddeud rhwbath wrtha i, ond ddaru hi ddim. Mi es i allan yn dawal, ac mi es i adra.

* * *

Roeddwn i'n gwbod fod Mam ac Yncl Sam yn ffraeo. Roeddwn i'n eu clywad nhw.

"Mi aeth o i'r llofft 'na'n syth bìn a symudodd o ddim!"

"Wel, mae o mewn da oed i benderfynu drosto'i hun!"

"Mae 'na rwbath 'di digwydd."

"Fel be?"

"Gofynna i Mabel!"

"Be s'nelo hi â hyn?"

"I fan'no'r aeth o!"

"Gad i mi fynd i siarad hefo fo."

"Ma'r blydi ddynas 'na 'di creu hafog hefo'r teulu 'ma! Yn gynta…"

"Meri!"

"…a rŵan Abi…"

"Aros funud! Fedri di ddim…"

Y munud nesa roedd sŵn sgidia Yncl Sam ar y grisia, a dyma gnoc ar ddrws fy stafall i. Mi waeddais arno i ddod i mewn.

"Dydi o'm fath â chdi i beidio byta dy swpar…"

Mi drois i'r radio i lawr a deud yn swta, "Dwi'm isho bwyd."

"Be sy 'di digwydd 'lly?"

Mi godais fy 'sgwydda, gan obeithio y basa hynny'n ddigon i 'neud iddo fo adael, ond roedd hi'n amlwg ei fod o am ei sticio hi.

"Ddeudodd Anti Mabel rwbath wrtha chdi?"

"Naddo."

Cododd ei lais fymryn. "'Naeth hi'm byd i chdi?"

Edrychais arno. "Be 'dach chi'n feddwl?"

"Be ddiawl sy'n bod arna chdi, 'ta?"

Yn sydyn dyma fi'n sylweddoli fod rhaid i mi ddeud rhwbath wrtho fo neu ella y basa fo'n mynd draw at Anti Mabel. "Gweld petha'n newid dwi."

"Be ti'n feddwl?"

"Gadal 'rysgol, ffrindia. Un bywyd yn gorffan rywsut ac un arall yn dechra." Be roeddwn i isho ofyn iddo fo oedd y cwestiwn mawr oedd yn llosgi tu mewn i mi. Roedd Anti Mabel wedi pwdu hefo fi am rwbath, a finna ddim yn gwbod pam. Roedd clywad Anti Mabel yn deud wrtha i am fynd fel cyllall yn cael ei gwthio i 'nghnawd i. Roedd hi wedi'i ddeud o'n gas uffernol, a doeddwn i ddim yn gwbod nac yn dallt pam. Mi ddaeth Yncl Sam ata i ar y gwely, a rhoid 'i law ar fy ysgwydd i.

"Mae o'n rhwbath 'dan ni i gyd yn gorfod mynd trwyddo fo, 'sti," meddai wrtha i fel petai o'n atab fy nghwestiwn mawr i. "Ma' pobol yn newid. Rwyt titha'n newid, ma' bywyd yn newid... rwyt ti 'di stopio bod yn hogyn rŵan, Abi, rwyt ti'n ddyn, ac mi weli di newid mawr."

"*Thanks a fucking bunch*," fuo jyst i mi ddeud wrth fo, ond roedd o'n trio'i ora. Mi gafodd wên gen i cyn iddo fo droi i fynd. Mi drois i nobyn y chwaraewr recordia ac estyn fy nghopi-bwc. Roeddwn i isho clywad cân y Moody Blues unwaith eto. Roedd hi'n ffitio heno'n iawn rywsut:

Since you gotta go, oh you had better go now
go now, go now, go now
Before you see me cry
I want you to tell me what you intend to do now
How many times do I have to tell you darling
that I'm still in love with you now...

Yna wrth wrando mi sylweddolais i be roeddwn i wedi'i 'neud. Roeddwn i'n meddwl mai Anti Mabel oedd yn deud *Go Now* wrtha i, a finna ddim isho mynd. Ro'n i'n gweld y gân yn ffitio ein sefyllfa ni'n berffaith. Be uffar roeddwn i i'w 'neud? Roeddwn i wedi deud bob dim wrth Anti

Mabel heblaw fy mod i mewn cariad hefo hi! Oeddwn i mewn cariad hefo hi? Oedd hi'n disgwyl i mi ddeud hynny wrthi hi? Oedd hi mewn cariad hefo fi? Blydi hel!

* * *

Mi setlais i lawr yn rhyfeddol o dda yn fy job newydd. Rŵan am y tro cynta roeddwn i'n cael cyflog, wedi agor cyfri banc ac roedd gen i bres yn fy mhocad. Ac er fy mod i'n talu swm wythnosol i Mam at fy nghadw roeddan ni'n ffraeo fwy fel yr awn yn hŷn. Yr achos penna am ffraeo fydda'r nosweithia hwyr ac ogla diod, ond roeddwn i hefyd wedi rhoi'r gora i fynd i'r capal.

"Wn 'im be fasa dy dad yn ei ddeud!"

Honna fyddai'n cloi pob dadl a ffrae. Ac wedi rhai misoedd o ffraeo hefo Mam ac Yncl Sam, roeddwn i'n ysu am adael cartra. Ac fe ddaeth y cyfle.

Wedi cyfnod o ddeunaw mis o weithio yn Woolworths dre, mi ges i'n symud i Fangor, a chan nad oedd petha wedi gwella o gwbwl rhyngdda i a Mam fe benderfynais i symud i Fangor – i dŷ ar rent yn Farrar Road. A haleliwia! Cwta fis wedyn fe glywodd Owan Bach ei fod ynta'n mynd i'r Coleg ym Mangor.

Doedd petha ddim wedi bod yn hynci-dori rhwng Owan Bach a finna yn benna ar gownt y petha roedd o'n ei wneud hefo Cymdeithas yr Iaith, ond rhyw gytuno i anghytuno fyddan ni – fe ddalion ni'n ffrindia drwy'r cyfan.

Bu ond y dim iddo gael ei ddiarddel o'r ysgol ar ôl cael ei restio tu allan i'r Llys yn Llanrwst, ac roedd pawb yn pentra'n gwbod mai fo a Mei Rob oedd wedi bod yn peintio slogana yn erbyn Prince Charles ar wal Cwt Band.

Ac roedd Mam ac Yncl Sam yn gandryll pan glywson nhw.

"Gwatsha di be dwi'n ddeud wrthat ti! Eith Owan Bach ar ei ben i helynt mawr ryw ddwrnod." Dyna oedd geiria Mam, cyn ychwanegu, "Fynta'n fab i winidog!"

Chwerthin ddaru Owan Bach pan ddeudais i hynny wrtho fo.

"Ti'n cofio be ddeudodd Abram Ifans?"

"Deud bod Cymru'n bitsh?" holais inna.

"Roedd o'n llygad ei le, boi. Unwaith ceith hi afael yna chdi, ma' hi'n ta-ta wedyn!"

Finna'n ama mai trio deud wrtha i roedd o pam ei fod yn gneud y petha gwirion yma. Ac mi gofiais inna am Buddug Wyn, ac fel roedd ei gafael hi yn dal arna i. A dwi'n ama mai dyna pam yr arhosais i'n fêts hefo Owan Bach. Ei Gymru o oedd fy Buddug Wyn i. Roedd o'n fy nallt i ac roeddwn i'n ei ddallt o. Oherwydd roeddwn i'n cofio Buddug Wyn ar ei chwrcwd yn gneud ei gwaith cartref a'i chysgod hi fel map o Gymru ar y wal. A Sir Fôn hefo poni-têl... Ond roeddwn i'n falch drybeilig y basa Owan Bach hefo fi ym Mangor.

Ochneidio fel petai hi'n disgwyl yr anochel ddaru Mam pan ddywedais i wrthi 'mod i'n symud i Fangor. Yn y pythefnos yna rhwng deud wrthi a symud allan roeddwn i'n synhwyro rhyw newid ynddi. Mi dynerodd. Mi wnaeth i mi addo dŵad adra bob Sadwrn hefo 'ngolch. Cadw mewn cysylltiad a pheidio bod yn ddiarth. Ac wrth gwrs bihafio! Roedd Yncl Sam yn fwy uniongyrchol. Fe bwmpiodd fy llaw i'n galad wrth i mi adael. "Ti'n dechra sefyll ar dy draed dy hun rŵan, Abi... a gwatsha di i'r hen growd Welsh Nash yna gael eu crafanga arnat ti!"

"Dim ffiars, Yncl Sam!" atebais inna'n hyderus.

Estynnodd Yncl Sam amlen Anti Mabel i mi.

"Y tro dweutha!" meddai, gan stwffio'r amlen i fy llaw.

Y peth ola un a wnes i cyn gadael y pentra oedd yr anoddaf. Doeddwn i ddim isho gadael heb ffarwelio, a siarad yn iawn, hefo Anti Mabel. Ar fora Sadwrn mi fydda'r drws cefn wedi'i gloi rŵan, finna'n gorfod cnocio fel dyn diarth ac estyn amlen Yncl Sam iddi. Mi fydda hi'n gwenu'n ddel cyn diolch i mi ac wedyn cau'r drws. Roedd mynd yno'n brifo.

Dim ond unwaith yr oedd Anti Mabel wedi deud mwy na dau air wrtha i ers mis a mwy; rŵan roedd rhaid i mi fynd yno i ffarwelio â hi.

Cnociais ar y drws cefn, ac aros. Pan welais gysgod yn oedi yn y gwydr gwaeddais, "Fi sy 'ma!"

Agorodd y drws. Roedd golwg y fall arni. Cylchoedd duon rownd ei llygaid hi, ei dwylo hi'n crynu i gyd ac roeddwn i'n ama ei bod hi wedi bod yn crio. Cymerais gam dros y trothwy, "Anti Mabel? Be sy'n bod?"

Mi ddaliodd ei llaw o'i blaen fel petai'n ceisio fy rhwystro rhag mynd yn nes ati ac, yn ôl ei lleferydd hefyd, roedd hi wedi bod yn yfad.

"Gadawa'r enfilop yn fan'na, Abi. Dos rŵan, 'na hogyn da."

Wnes i ddim ufuddhau. Mi es i'r gegin gefn a chau'r drws ar fy ôl.

"Be sy'n bod, Anti Mabel?"

"'Im byd."

"Rhwbath dwi wedi'i 'neud?"

Ysgydwodd ei phen. Yna roedd hi'n beichio crio. Mi eisteddodd yn y gadair agosa, rhoi'i phen yn ei dwylo a chrio'i hochor hi. Mi es ati, a gafael amdani. Rhoddodd ei phen yn fy nghôt i a gafael yn dynn amdana i. Roedd hi'n ysgwyd crio ac yn nadu.

"Be dwi wedi'i 'neud, Abi? Be dwi wedi'i 'neud?!"

"*Be* 'dach chi wedi'i 'neud, Anti Mabel? Deudwch wrtha i?"

Ond ysgwyd ei phen wnaeth hi a chladdu'i hun drachefn yn fy nghôt i. Mi afaelais ynddi, ei chodi a mynd â hi drwadd i'r parlwr cefn. Synnais braidd o weld y *record player* yno erbyn hyn ond, yn wahanol i'r arfar, roedd y stafall yn flêr i gyd. Roedd papura a llestri a recordia yn un llanast dros y lle. Tybad fydda hi'n fodlon siarad pe bawn i'n trio unwaith eto? Mi geisiais fynd rowndabowt.

"'Dach chi'n cofio fel oeddwn i'n dod yma erstalwm?" Gwenodd.

"A chitha'n deud wrtha i, os byth y basa 'na rwbath yn fy mhoeni i, am ofyn i chi?"

Fel petai hi'n rhag-weld fy ngwestiwn nesa mi ddeudodd, "Fedra i ddim deud…"

"*Mae* 'na rwbath yn fy mhoeni i, Anti Mabel…" arhosais, "… a dwi isho i chi ddeud wrtha i be ydi'r peth gora i mi 'i 'neud. Fedra i ddim gofyn i Mam nac Yncl Sam."

Snwffiodd, chwythodd ei thrwyn, a pheidiodd y crio.

"Be sy'n bod, Abi?"

"Hogan…" meddwn inna.

"Nid Buddug Wyn?"

"Naci, nid Buddug Wyn."

"Be 'di dy broblam di?"

"Dwi'n meddwl 'mod i mewn cariad hefo hi."

Gwenodd. "Yn dy oed di mae o'n beth naturiol."

"Mae hi'n hŷn na fi…"

Tynnodd ei gwynt ati. "Lot yn hŷn na chdi?"

"Bron i ugian mlynadd."

Erbyn i mi ddeud hynna, roeddwn i wedi dechra crio hefyd.

"O! Abi!"

Mi gododd a dod ata i. Mi afaelodd amdana i, ac mi afaelais inna amdani hitha. Mi fuon ni'n cofleidio felly am rai munuda.

"Anti Mabel, 'dach chi isho mynd i'r llofft?"

Arhosodd am ennyd fel petai'n pwyso a mesur beth roedd hi am ddeud. Nodiodd.

"Ar un amod, Abi."

"Be?"

"Hwn fydd y tro dweutha!"

"Ond pam?"

Estynnodd ei bys a'i roi ar fy ngwefus.

"Shd! Paid â gofyn. Os oes gen ti feddwl ohona i o gwbwl, wnei di ddim gofyn. Iawn?"

Doeddwn i ddim yn dallt. Roedd yna bob math o feddylia'n rasio'n wyllt drwy fy mhen i, ond yr unig ateb fedrwn i ei ganfod oedd fod Anti Mabel wedi cael pwl dieflig o euogrwydd am ein perthynas ni'n dau, a'i bod wedi penderfynu rŵan 'mod i'n barod i wynebu'r byd mawr ar fy mhen fy hun, a'i bod yn bryd i mi dorri'n rhydd oddi wrthi hi.

Y bora Sadwrn hwnnw fe fuon ni'n caru'n wyllt am bron i ddwy awr. Roedd angerdd Anti Mabel yn fygythiol ar brydia ac roedd hi'n beichio crio bob tro.

Doeddwn i ddim isho gadael. Hi ddeudodd wrtha i am fynd.

"Ar un amod," meddwn inna.

"Be 'di honno?" gofynnodd hitha.

"Ein bod ni'n cael bàth yn gynta!"

Mi chwarddodd am hynny, a chodi a mynd i'r stafall

molchi. Wedi cael bàth aeth y ddau ohonon ni'n ôl i'r stafall wely i sychu. Bu'n ddistaw wrth i mi sychu bob rhan o'i chorff.

"Rhaid i betha orffan yma heddiw," medda hi.

"Ga i gusanu'ch corff chi?" gofynnais gan anwybyddu'i geiria.

Gwenodd.

"Cei."

Yn ara fe dynnais hi ar y gwely a chusanu pob rhan o'i chorff. Dechreuodd hitha arna inna. Yn sydyn oedodd wrth i'w cheg esgyn yn ara bach i fyny nghoesa.

"Un waith eto?" gofynnais. "Plîs?"

Gwenodd eto a phlannodd ei phen yn fy nghanol. Wnes i ddim byd am rai munuda ond gorwedd yn ôl a chau fy llygaid wrth i'w gwefusa ei cheg a'i thafod fy nghorddi hyd waelod fy mod. Gafaelais yn ei phen a'i symud yn ôl ac ymlaen yn ara bach.

A minna ar fin ffrwydro, gafaelais yn dynnach yn ei phen a chodi ar fy eistedd. Wnes i ond edrych arni a'i thynnu i fyny ata i, yna'i throi hi drosodd ar wastad ei chefn a gorwedd yno rhwng ei choesa a dechra symud yn ara bach, yn ara bach.

"Un waith! Un waith!" sibrydais yn ei chlust.

Gallwn deimlo rhyw gryndod drwy'i holl gorff. Daeth ei gwefusa at fy nghlust inna a dechreuodd sibrwd ei geiria gwirion yn fy nghlust. Wrth i mi nesáu at fy nhafliad sibrydais yn ei chlust, "Barod? Rŵan?"

"Yndw. Yndw!" sibrydodd hitha, ac yn un foddfa o chwys clodd ein gwefusa ar ein gilydd. Roedd hi fel neidr oddi tanaf i. Tynnodd ei cheg yn rhydd a gwthiodd ei thafod i 'nghlust. "Caru! Caru!" meddai ddwywaith, cyn ymlonyddu a gafael yn dynn amdanaf i.

Ddeudodd hi ddim byd wedyn am rai munuda. Bu'n gorwedd yno'n llonydd, cyn codi'n dawal a gwisgo amdani. Aeth i'r stafall molchi ac yna i lawr y grisia.

Pan ddois i lawr, roedd hi wrthi'n gneud panad o de. Es ati.

"Na! Paid!" meddai pan welodd fy nwylo'n dod amdani. "Mi adawn ni bopeth yn fan'na, iawn?"

"Iawn," atebais inna. "'Dan ni'n dal yn ffrindia, gobeithio?"

Gwenodd yn wan. "Ffrindia gora! Ond dyna'r unig beth fyddwn ni o hyn 'mlaen, iawn?"

Nodiais inna fy mhen. Roedd yna rwbath sbeshal wedi dod i ben y bora hwnnw.

"'Dach chi'n iawn, yndach?"

"Lot gwell rŵan," atebodd wrth agor y drws i mi.

Ac yno y gadewais hi, yn paratoi panad arall iddi hi'i hun.

* * *

Roedd Bangor yn berwi o fyfyrwyr, a'r rhan fwya o'r rheini yn mynd i'r Vaults neu'r Globe neu'r Belle Vue bob nos ym Mangor Ucha. I fan'no y byddan ninna'n mynd am beint hefyd ac yno, un noson, mi ddois i wynab yn wynab â Magi Fawr. O'n i'n gwbod y munud y gwelais i hi y baswn i'n lecio caru hefo Magi.

Magi Fawr oedd pawb yn 'i galw hi am 'i bod hi'n hogan fawr, ac wrth ddeud mawr dwi'n golygu 'mawr'. Wn i'm pa liw roedd ei gwallt hi i fod, ond melyn roedd hi'n ei liwio fo, a hwnnw'n disgyn bob ochor i'w gwynab hi ac yn fy atgoffa i o gi Dulux. Roeddwn i'n gweld ei hwynab hitha'n debyg iawn i wynab Buddug Wyn, oherwydd roedd ganddi wên lydan wen braf, ond roedd gwallt Magi'n hongian rownd ei phen hi yn lle ei fod o wedi'i glymu'n ôl yn boni-têl. Roedd ganddi wynab tlws, tlws. Llygaid crynion oedd yn gwenu trwy'r amsar, trwyn bychan a gwefusa llawnion. Roedd ei bronna hi'n fawr, yn hongian ac yn grwn, ac roedd ganddi gorff siapus. Mi wyddwn fod ganddi grymffastia o glunia, oherwydd mi fedrach chi glywad ei sana neilon hi'n rhwbio'n ei gilydd wrth iddi gerddad. Mi fydda hi wastad yng nghwmni ei mêt, Vera.

Roedd Vera'n hollol wahanol. Hogan dena fel weiran gaws – rhy dena bron i daflu cysgod – hefo mop o wallt coch cyrliog blêr rownd wynab crwn oedd yn llawn brychni haul. Roedd hi'n fy atgoffa i o un o *tickling sticks* Ken Dodd. Mi fydda pawb yn cyfeirio at y ddwy fel y Fagi Fawr a'r Vera Fach. Roedd y ddwy yn rhannu tŷ bychan yn Beech Rd.

Yn y Vaults un nos Sadwrn yr oeddwn i wedi cwarfod Magi a Vera gynta, ac roeddwn i wedi prynu diod iddyn nhw. Y draffarth oedd fod y ddwy yn yfad fodca a leim – dyblars – a doedd fy *finances* i ddim yn caniatáu i mi brynu'r rheini yn rhy aml.

Beth bynnag, un nos Wenar, roedd Owan Bach a finna wedi bod yn gweld ffilm John Wayne, *The Sons of Katie Elder*, yn y Plaza, ac ar ôl y ffilm roedd Owan Bach yn mynd i gwarfod rhyw griw o Aberystwyth.

"Tyrd hefo fi," medda fo. "'Sa chdi wrth dy fodd yn eu cwmni."

"Dim diolch!" meddwn inna. "Dwi'n rhy ifanc i fynd i jêl!"

Doedd gen i ddim ond dau ddewis – mynd yn ôl i'r tŷ, neu mynd am beint. Roedd hi jyst yn amsar cau pan gyrhaeddais i'r Vaults, a phwy oedd yno'n gocls ond y Fagi Fawr a Vera Fach. Gan nad oeddwn i'n nabod neb arall yn ddigon da, anelais yn syth amdanyn nhw.

"Dau fodca a leim," medda Magi cyn i mi agor 'y ngheg i ddeud dim.

Roedd hi'n gwisgo blows wen a'r ddau fotwm top yn gorad, jyst digon i weld top ei rhych anfarth hi. Fel llo, mi es i at y bar i ordro peint o mics i mi a dau fodca a leim. Pan es i'n ôl, roedd Vera 'di mynd.

"Vera'n giami," eglurodd Magi gan 'mestyn am y ddau fodca oedd o'i blaen. "Adag rong y mis iddi. Stedda'n fa'ma."

Mi ddyliwn i fod wedi sylweddoli fod yna rwbath o'i le wrth y ffordd y deudodd hi fod Vera'n giami, ond yr unig beth ddaliodd fy sylw i oedd y sbarcl oedd yn ei llygaid hi pan wnaeth hi le i mi ista wrth ei hochor. Ysgydwodd ei phen i hel y gwallt o'i llygaid. Weithia roedd hi'n debyg ar y diawl i Buddug Wyn.

Erbyn i mi gymryd fy sip cynta, a meddwl be i'w ddeud, roedd un o'r fodcas wedi mynd lawr ei chorn clag ar un gylp. Cyn i mi ddeud dim dyma hi'n deud, "Ti'n hwyr ar y diawl yn cyrradd heno."

Rhaid ei bod hi wedi sylwi 'mod i yma'n gynt fel arfar felly. "Gweld John Wayne yn y Plaza. Uffar o ffilm.'Sa chdi'n 'i weld o'n rhoi wab i ryw foi ar draws 'i ben hefo coes bwyall."

"Efo fodan est ti?"

"S'gin i neb!" medda fi fel siot. "Wel, ddim ar hyn o bryd."

"Ei di â fi adra munud?" A diflannodd yr ail fodca a leim. Mi lyncais inna fy ail swig a fy mhwyri dair gwaith, a chan ymddangos yn ddidaro, dyma fi'n gofyn iddi, gan smalio nad oeddwn i'n gwbod, "Lle ti'n byw 'lly?"

"Gin Vera a finna dŷ bychan yn Beech Rd."

"'Tisho fodca arall?"

"Duw, iawn 'ta! Gwna fo'n un mawr, ia. Hwn fydd y dweutha siŵr o fod." A sbiodd ar ei watsh. Ar y ffordd i'r bar roedd fy mhen i'n troi. Roedd hi 'di bod yn noson rad hyd yma. Pictiwrs, peint o mics a 'chydig o fodcas a leim. O'n i'n *made*!

"Be 'di dy waith di?" gofynnodd Magi, wedi i mi ailista'n ei hymyl hi. "Ne' ti'n dal yn 'rysgol ne'r Coleg?"

"Gweithio'n Woolworths. *Middle management trainee*," medda fi gan sbio'n syth i'w hwynab hi heb fflicro dim ar fy llygaid.

"Be ffwc 'di hynny?"

"Dwi'n gweithio fy ffordd i fyny'r ysdol," medda finna gan obeithio y basa hi'n ei gadael hi'n fan'na. Ddaru hi ddim.

"Job dda 'lly?"

"Mae o'n iawn i rywun ifanc fel fi. Traffarth ydi os ca i bromoshyn eto, mi fydd rhaid i mi symud... i Flaena Ffestiniog ne' Bwllheli ella."

"Ti'n galw hynny'n bromoshyn?"

"Felly ma'r cwmni'n gweithio."

Roedd hi'n fy holi i fel plisman, ac yn yfad fel ych. Pedwar fodca dwbwl yn ddiweddarach mi ddaeth sŵn miwsig i 'nghlustia i pan glywais i'r gloch yn cael ei ratlo, a Tim Bach y barman yn gweiddi: *Time, Ladies and Gentlemen*. Pliiiiiis!" Roeddwn i'n dal heb orffan y peint cynta, yn sbio ar wynab Magi ond yn gweld wynab Buddug Wyn.

"Awn ni, 'ta, ia?" medda Magi gan godi, ac estyn am ei chôt.

Shit! Pan gyrhaeddais i'r drws mi welais y glaw. Roedd hi'n piso bwrw y tu allan. Dyma hi'n gafael yn fy llaw i. "Redan ni!" gwaeddodd a 'nhynnu i ar ei hôl.

"S'gin i'm côt!" Dyna driais i 'ngora i'w ddeud, ond roedd hi'n gafael yn dynn yn fy llaw i ac yn mynd fel milgi drwy'r glaw. Doedd gen i fawr o ddewis ond cael fy nhynnu, a gwlychu. Cerddad i'w thŷ hi'n ara bach roeddwn i wedi gobeithio'i 'neud, ond erbyn i ni gyrraedd portsh ei thŷ hi yn Beech Rd roeddwn i'n wlyb fel sbangi, a doedd hitha fawr gwell er bod ganddi gôt. Fe fuo raid i ni aros am funud ne' ddau i gael ein gwynt atan, wedyn mi afaelais amdani i gael snog. Arglwydd! Roedd hi'n snogio fel *hoover* a'r glaw yn dal i ddiferu oddi ar ein gwalltia i lawr ein hwyneba. Wrth i mi ei gwasgu hi, roeddwn i'n clywad ein dillad a'n sgidia ni'n sgweltsho.

"Well i chdi ddod i mewn, Abi bach," medda hi. "Ond gwatsha ddeffro Vera, mae hi'n flin fel tincar ac mewn diawl o dempar heno."

"Be sy 'lly?"

"Adag rong o'r mis," ailadroddodd.

Mi edrychais i allan i weld welwn i leuad llawn, ond roedd 'na ormod o gymyla. Agorodd Magi y drws ffrynt a 'ngwthio i mewn. Pwyntiodd at ddrws ar y chwith.

"Dos i'r parlwr ffrynt. Dyro'r tân letrig 'mlaen, a' i i nôl llieinia," sibrydodd.

Mi es i mewn i'r parlwr ffrynt. Tân letrig, soffa a chadair a chloc – dyna'r unig betha oedd yn y parlwr. Mi es at y tân a rhoi'r plwg yn ei soced. Dechreuodd dau far gochi. Pan ddaeth yn ei hôl, roedd hi wedi tynnu'i chôt ac mi fedrwn i weld fod ei blows hi'n socian hefyd. Roedd ganddi un lliain gwyn wedi'i lapio rownd ei phen ac un arall yn ei llaw. Taflodd yr ail i mi.

"Sycha dy hun," gorchmynnodd. "Gin i hannar potal o wisgi a thun saith beint o Ddeimond yn gegin – gawn ni sesh fach yn ymyl tân yn y munud!"

Mi ddechreuais i sychu 'ngwallt a 'mhen fel ffŵl gwirion. Aeth hitha at y tân ac ista gan groesi'i choesa o'i flaen. Gwyrodd ei phen at y ddau far coch a dechra rhwbio'r lliain i'w gwallt yn ara bach. Roedd hi'n ei adael wedyn i hongian wrth y tân i sychu. Roedd ei chefn ata i. Roedd ei blows yn wlyb ac yn dynn amdani, ac fe welwn i siâp strap ei bra hi drwy'r defnydd gwyn. Ymhen ychydig dyma hi'n hannar troi'i phen ac yn gofyn, "Roi di *hand* i mi sychu hwn?"

Mi es ati a sefyll tu ôl iddi. Mi rois fy lliain fy hun ar lawr a dechra rhwbio'r lliain gwyn i'w gwallt hi. Wrth wyro 'mlaen mi fedrwn i weld rhych ei bronna hi drwy'r botyma oedd yn gorad ar ei blows hi. Fel yr oeddwn i'n rhwbio roedd hitha'n symud ei phen yn ôl ac ymlaen ac yn gwneud sŵn bach fel cath yn canu grwndi. Yn sydyn, mi afaelodd yn fy llaw dde i, ei thynnu ati, a'i gwthio hi i lawr ei blows. Mi es inna ar fy nglinia tu ôl iddi a dilyn fy llaw rhwng ei bra a'i chroen a dechra mwytho'r bronna llawnion. Pan gyrhaeddodd fy llaw deth, fe rowliais hi rhwng bys a bawd, fel yr oedd Anti Mabel wedi dangos i mi, a dyma hi'n gwyro'i phen yn ôl. Cyffyrddodd ein gwefusa mewn cusan hir, felys. Ond nid Magi Fawr oedd yno'n gwingo'n fodlon odditana i ond Buddug Wyn.

Chlywais i na Magi'r drws yn agor. Ond mi glywais i sgrech hir, a'r peth nesa mi ges i flaen troed o dan fy nhin ac ynghanol fy mhlwms. Saethodd fy llaw o flows Magi ac roeddwn i'n rowlio ar lawr, fy nwy law yn gafael yn dynn yn fy miji-bo yn ceisio lleddfu rhywfaint ar y boen oedd yn tasgu rhwng fy nghoesa i.

"Y bitsh!"

Roedd Vera'n sefyll yno uwch ein penna yn gweiddi ar Magi. Doeddwn i ddim yn dallt. "Y bitsh uffar!" gwaeddodd wedyn. "Yn dod â phloncar fel hwn i'n parlwr ffrynt ni!"

Ond doedd Magi ddim am gymryd dim. Mi gododd, a sefyll o'i blaen. "Arna chdi ma'r bai!" sgwariodd o'i blaen. Am funud mi gredais i'n siŵr y basa'r sgwario wedi bod yn ormod o straen i'r flows. Rhywsut estynnais un llaw i sychu'r dagra oedd yn powlio o fy llygaid i.

"Dim dynion! Dyna'r dîl!" sgrechiodd Vera Fach.

Ni feddyliais i am eiliad fod yna le i ddianc. Dyma godi ar fy mhedwar, a chan smalio ochneidio mi symudais tuag at y drws. Fel petai'n disgwyl hynny, rhoddodd Vera gic hegar i'r drws nes y clepiodd ar gau. Roedd yr adwy honno wedi'i chau. Dydw i ddim yn cofio'n iawn be ddigwyddodd wedyn, ond ro'n i'n credu i mi weld Magi a Vera yn cofleidio'i gilydd, ond ella mai drysu yn fy mhoen wnes i. Gen i gof o gael fy nghodi i ben y soffa, a breichia cryfion yn tynnu fy nwylo oddi ar fy miji-bo.

"Fyddi di'n well, munud," medda llais mwyn wrtha i. A dwi fel taswn i'n cofio fy melt a 'malog yn cael eu hagor a dwylo meddal oer yn rhwbio ac yn rhwbio. "Sbia seis ar hwn!" medda rhyw lais fel petai'n dod o bell. Mae gen i gof o sŵn can saith beint yn cael ei agor, a rhywun yn gwneud i mi yfad wisgi. Roeddwn i'n well. Dwi'n cofio deffro a chlywad lleisia meddal yn siarad yn ysgafn. Pan agorais i fy llygaid, roedd y parlwr yn dywyll ar wahân i ola bar y tân letrig, a dwi'n siŵr i mi weld dau gorff gwyn wedi'u clymu'n ei gilydd yn symud yn ara bach i sŵn y sibrwd.

Pan ddeffrois i wedyn, roedd hi'n dywyll ac yn oer.

Agorais fy llygaid a sylweddoli 'mod i'n dal ar y soffa yn nhŷ Magi a Vera. Roedd pob man yn dawal. Rhaid 'mod i wedi breuddwydio petha rhyfadd. Mi ddaeth y noson cynt yn ôl i nghof i mewn fflachiada. Mi godais, a sbio ar y cloc. Pump! Roedd pob man fel y bedd. Yn dawal fach mi es allan drwy'r drws ffrynt. Roedd hi'n dal i fwrw'n drwm.

Wrth hannar rhedag yn ôl i'n tŷ ni, roeddwn i'n dal i gofio 'chydig o'r hunlle. Wedi cyrraedd adra, mi ges i fàth poeth. Jyst rhag ofn i mi gael annwyd mi gymrais i jòch mawr o wisgi strêt. Rhaid 'mod i wedi codi a breuddwydio rhagor yn ystod fy nghwsg, oherwydd pan wnes i stwyrian tua hannar dydd roedd yna gadach gwlanan gwlyb wedi'i lapio rownd fy miji-bo. Mi es yn ôl i gysgu. Ac yn fy ngwely y bûm i tan chwech.

* * *

Yn fy ngwely y treuliais i'r rhan fwya o'r dydd Sul hefyd. Pan gnociodd Owan Bach ar fy nrws i fynd am beint ar ôl cinio, doedd gen i'm mynadd. "Wela i chdi amsar cinio fory," meddwn i wrtho fo.

"Nacyrd, ia?" medda fo hefo gwên ar ei wynab.

"Be ti'n feddwl?"

"Gawson ni loc-in gin Tim jyst ar ôl i chdi adael – hefo Magi Fawr!" medda fo wedyn, gan roi winc fawr arna i.

Mi dreuliais i'r pnawn yn meddwl yn galad am be ddigwyddodd ar y nos Wener. Ai breuddwydio roeddwn i wedi'i 'neud? Yn sicr roeddwn i'n cofio pob dim hyd at y gic yn fy môls. Ond wedyn? Mi es i nôl fy nghopi-bwc. Yn araf a llafurus mi sgwennais bopeth roeddwn i'n ei gofio. Cyn i mi sylweddoli bron, roedd hi'n dechra twllu tu allan, a finna wedi sgwennu wyth tudalan! Mi wnes fîns ar dôst i mi fy hun, a gwrando ar y Top Twenty. Oeddwn i'n mynd i gloi'r llith ddweutha 'ma hefo geiria cân? Chwerthin wrtha fi fy hun wnes i wrth feddwl am 'Great Balls of Fire'!

* * *

Wrth gael peint a phei yn Glanrafon amsar cinio trannoeth, roedd cwestiyna'r hogia'n dŵad fel bwlats.

"Gest ti hwyl arni?"

"Sgorist ti?"

"Ydi Magi'n fawr?"

Fe atebais i nhw hefo'r un frawddeg bob tro. "Ddigwyddodd fawr o ddim, roeddwn i'n cysgu cyn hannar nos."

"Ble oedda chdi drwy dydd Sadwrn a ddoe?"

"Gweithio."

"Paid â malu cachu! Ar gefn Magi Fawr oedda chdi!"

Ac ar ôl atab 'run fath bob tro, mi lenwais fy ngheg hefo porc pei i ddisgwyl y cwestiwn nesa. Roedd hynny'n rhoi cyfle i mi feddwl cyn atab.

Y pnawn hwnnw, wrth stocio'r silffoedd Airfix a'r Meccano mi ges i sioc 'y mywyd. O'n i ar ben y *step-ladder* yn gosod y Spitfires mewn bwndal del ar y silff ucha pan deimlais i rywun yn gafael yng ngwaelod 'y nghoes i. Cyn i mi droi i sbio pwy oedd yno mi glywais i lais Magi Fawr, "Ti'm gwaeth, 'ta?" Roedd hi'n ddannadd ac yn wên i gyd.

"Na, dwi 'di sychu erbyn hyn!" atebais, gan wenu'n ôl yn wan arni.

"Rhaid i ni 'neud hynna eto'n bydd?"

"*No way!*"

"Dim hynna o'n i'n feddwl! Ei gorffan hi'n well tro nesa!"

Mi edrychais i unwaith ar ei bronna hi cyn cofio, a newid fy meddwl.

"Bydd, yn bydd!"

"Be ti'n 'neud nos Wenar neu nos Sadwrn?"

"Mynd am beint siŵr o fod."

"Wela i di'n y Vaults 'ta. Nos Sadwrn?"

"Iawn."

"Faint o'r gloch?"

"Pryd ti isho?"

"Deud ti."

"Chwech?"

Arglwydd, mi ddechreuodd fy walat brotestio. Roeddwn i'n dechra cyfri faint o ddybl fodcas fasa Magi'n medru'u sincio mewn pedair awr a hannar. Fel petai hi'n fy ngweld i'n cloffi cyn atab, mi ddeudodd, "Fydd Vera ddim hefo fi, ac os bydd hi'n braf mi fasa'n neis mynd am dro, yn basa?" Yna, gan wenu a gostwng ei llais mi blygodd ymlaen a deud wrtha i'n dawelach, "Mi fedran ni fynd i ben Mynydd Bangor!"

Ac mi aeth, gan fy ngadael i yno yn sbio ar droedfeddi o focsys Airfix, a fy nychymyg fel yr Orient Express. Roedd fy mhen i yn y cymyla uwchben Mynydd Bangor tan banad dri. Wedi llowcio honno mi es i'n ôl i orffan llenwi'r silffoedd. Rhaid 'mod i'n hapus, oherwydd mi roeddwn i'n chwibanu un o ganeuon y Beatles pan ges i bwniad yn fy nghefn. Suddodd fy nghalon pan drois i a ffendio mop o wallt coch a Vera'n sefyll yno hefo gwên ryfadd ar 'i hwynab.

"Dod yma i ddeud sori ydw i," medda hi'n dawal. "Am nos Wenar."

"'Dio'm ots, 'sti," medda finna gan drio ymddangos yn ddidaro, a throi'n ôl at y silffoedd i symud petha a gneud dim.

"Ma' Magi'n medru bod yn hen bitsh weithia," medda hi wedyn. Ond mi ges i'r teimlad mai chwilio am ffordd i ddal 'mlaen i sgwrsio roedd hi.

"Magi?" medda fi'n sarcastig i gyd, gan ofyn cwestiwn wrth ddeud ei henw hi.

"Ty'd allan hefo fi nos Sadwrn, a mi wna i drio egluro i chdi," medda hi wedyn.

"Fedra i ddim nos Sadwrn, sori, gin i ddêt!"

"Yn gynnar yn y nos, 'ta? Tua chwech?"

"Fedra i ddim, sori."

"Be am y pnawn, 'ta?"

Ac am yr eilwaith y diwrnod hwnnw roedd fy meddwl i'n rasio'n wyllt. Doeddwn erioed wedi'i chael hi'n hawdd i fachu modins a rŵan, dyma ddwy o fewn tair awr i'w gilydd yn cynnig dêt i mi'r un diwrnod! Yn rhyfadd iawn, doeddwn i erioed wedi meddwl am Vera fel'na, fel un i fynd allan hefo hi 'lly. Roedd hi mor wahanol i Buddug Wyn. Ella mai wrth 'y ngweld i'n fan'no yn pendroni y penderfynodd hitha wthio'i hun.

"Wel?" medda hi, gan ddal ei phen yn gam a gwenu.

Mi ddaeth yna rwbath drosta i mae'n rhaid. Roedd y syniad o fynd hefo dwy yr un diwrnod yn sydyn yn apelio.

"Faint o'r gloch?" gofynnais iddi.

"Deud ti. Chdi s'gin ddêt." Mi ddeudodd hi hynna fel taswn i 'di deud lwmp o glwydda wrthi.

"Syth ar ôl cinio," medda finna'n dod i benderfyniad sydyn.

"Ond dwi isho bod 'nôl erbyn pump."

"Hannar awr 'di hannar, 'ta?"

"Iawn."

"Yn lle?"

"Wrth y cloc?"

"Yli, pam na 'nei di o am hannar dydd? Paid â chymryd cinio ac mi wna i bicnic a syrpréis bach i ti."

"Be tasa hi'n bwrw glaw?"

Mi sbiodd hi arna i, gwenu ac agorodd fymryn ar ei llygaid nes oeddan nhw'n llawn direidi.

"Mi wlychan ni!"

Mi wnes inna hannar gwenu'n wan. "Hannar dydd, 'ta!"

Wrth feddwl yn ôl, wn i'm be ddiawl ddaeth dros 'y mhen i dderbyn, ond Duw, dyna fo, 'ntoedd y blynyddoedd a'r merched yn llithro drwy 'nwylo i?

Mi fuo'r wsnos yn llusgo fel diawl a finna'n ysu am weld dydd Sadwrn yn dod. Pan ges i 'mhacad pae cyn cinio ddydd Gwenar, mi es i siop barbar am gỳt, ac i Baine and Dargie i brynu crys newydd. Wrth sbiad arna fi fy hun o flaen y *dressing table* y noson honno, cyn swpar, Cliff Richard oedd yn sbio'n ôl arna i, a hwnnw'n canu:

The young ones, darling, we're the young ones,
And the young ones shouldn't be afraid
To live, love, while the feeling's strong,
'Cause we won't be the young ones very long.

Fydda Yncl Sam byth yn ffonio, ond roedd 'na negas gan un o'r hogia i mi pan ddois i'n fy ôl i'r tŷ y noson honno. Roedd o'n holi os oeddwn i'n gwbod rhwbath am Anti Mabel. Roedd hi wedi gadael ei thŷ ers tridia a neb wedi'i gweld. Oedd hi wedi bod mewn cysylltiad hefo fi?

* * *

Cân arall a ddenodd fy mryd weddill y nos Wenar honno ac yn oria mân fora dydd Sadwrn. Fedrwn i ddim cael Anti Mabel o fy meddwl, ac yn sydyn, roeddwn i'n poeni amdani.

When I said I needed you, you said you would always
*   stay;*
It wasn't me who changed but you, and now you've gone
*   away.*

Roeddwn i isho gweld Anti Mabel eto, ond am y tro cynta'n fy mywyd, roedd gen i ofn mynd adra a mynd draw i'w thŷ hi. Wyddwn i ddim pam, ond roedd ein perthynas ni wedi newid. Ond pwy oedd wedi newid, y fi neu hi? Wrth fy holi fy hun yr un oedd yr atab bob tro. Y hi wrth reswm! Doeddwn i ddim yn meddwl 'mod i wedi newid yr un iot – neu oeddwn i? Wrth wrando drosodd a throsodd ar y gân, mi groesodd fy meddwl tybad oedd Anti Mabel wedi cyfarfod rhywun arall? Ai dyna pam yr oedd hi wedi gadael ei chartra am ychydig? Ai dyna pam yr oedd hi wedi newid? Ai dyna pam yr oedd gen i ofn mynd draw i'w gweld? Oedd gen i ofn clywad y gwir ganddi? Ac wrth hel meddylia fel hyn roeddwn i wedi penderfynu y baswn i'n gyrru parsal i Anti Mabel pan glywn i ei bod wedi dod adra. Ac fe ddaeth y negas. Mi ffoniodd Yncl Sam yn gynnar fora Sadwrn. Roedd Anti Mabel adra.

Jyst cyn un ar ddeg mi es i lawr i'r Post Mawr. Y munud y rhoddais i'r parsal yn y twll llythyra roeddwn i'n hannar difaru 'mod i wedi'i bostio fo iddi.

Awr ynghynt y penderfynais i go-iawn y baswn i'n gneud hynny. Nos Wenar, ac yn ystod bora Sadwrn, roeddwn i wedi bod yn gwrando ar Dusty Springfield yn canu wrth ddarllen fy nghopi-bwc. Mi feddyliais tybad beth fasa Anti Mabel yn ei ddeud a'i 'neud pe bawn i'n anfon y copi-bwc a'r record ati? Roedd hi'n gwbod yn fras beth oedd yn y llyfr, oherwydd roeddwn i wedi deud popeth wrthi, ac mi fydda'r gân gobeithio yn egluro'r gweddill. Gan fod y cyfnod yma o 'mywyd i wedi mynd am byth, doeddwn i ddim yn gweld rheswm mwyach dros sgwennu rhagor yn y copi-bwc. Dyna pam y paciais i'r llyfr a'r record hefo'i gilydd, eu lapio'n barsal mewn papur llwyd, a'i gyfeirio at Anti Mabel. Roeddwn i'n sicr, wedi derbyn y parsal, y bydda Anti Mabel yn dod i 'ngweld i, neu'n gofyn i mi fynd i'w gweld hi. Roeddwn i mor siŵr o hynny.

Am ddeng munud i hannar dydd roeddwn i'n sefyll y tu allan i Woolworths yn edrych i gyfeiriad y cloc yn disgwyl gweld Vera. Am hannar dydd, ar y dot, fe welwn hi'n cerddad tuag ata i. Roedd ganddi fag mawr yn ei llaw.

"Picnic!" meddai dan wenu. "Ty'd!"

I lawr â ni at y lle bysys, ac wedi edrych ar du blaen un ohonyn nhw, i mewn â ni.

"Dwi isho denig o'r lle 'ma!" meddai. "Ac ma' Llandudno cystal lle â unlla i fynd iddo am bnawn."

"Fyddwn ni'n ôl erbyn pump?" oedd y cwestiwn yn fy meddwl i, ac fel petai hi wedi deall fy mhryder mi ddeudodd, "Mae 'na fŷs yn dŵad yn ôl am hannar awr 'di pedwar."

Wnaeth hi ddim stopio siarad yr holl ffordd draw. Mi ges i glywad hanas ei bywyd hi, ac mi ges i'r teimlad annifyr fod yna agosatrwydd rhyfeddol yn ei pherthynas hi â Magi Fawr.

"Sori am nos Sadwrn!" medda hi wrtha i, wrth i ni orfod aros i'r trên groesi yn Llandudno Junction.

"Dwi'n cofio fawr ddim," meddwn wrthi yn glwyddog i gyd.

"Mae gin Magi a finna'r ddealltwriaeth 'ma ti'n gweld."

"Be 'di hwnnw 'lly?"

"Wel, ti'n gwbod fel ydan ni..."

Na, doeddwn i ddim, ond fe ddaeth yna fflachiada o ddau gorff gwyn i fy meddwl i.

"...dyna pam y gofynnis i chdi ddod hefo fi heddiw. Isho ymddiheuro, ac egluro..."

"Dwi'n gwbod eich bod chi hefo'ch gilydd bob amsar."

"Mae o'n fwy na hynna, 'sti.'Dan ni'n dallt ein gilydd. Dyna pam mae Magi weithia'n wirion yn 'i diod. Dydi hi ddim yn gwbod yn iawn be mae'i isho."

Doeddwn i ddim yn siŵr iawn i ble roedd y sgwrs yma'n arwain, ac roeddwn i ar fin gofyn cwestiwn treiddgar iddi pan ddeudodd, "Mi wellith pan fyddwn ni'n cael croesi drosti."

"Be?" Roeddwn i ar goll yn lân.

"Maen nhw'n mynd i godi *flyover* yma, wedyn mi fyddwn ni'n mynd dros y *railway*."

Bûm yn ddwfn yn fy meddylia nes i ni gyrraedd Llandudno. Doeddwn i ddim yn siŵr iawn pam oeddwn i yma gyda Vera ond fe groesodd fy meddwl i nad unrhyw gynyrfiada na dyheada serchus oedd wrth wraidd ein trip.

"Dwi isho mynd i fyny i Happy Valley!" meddai. "Mi gawn ni'n picnic yn fan'no."

Yna sylweddolais yn sydyn. Doedd gen i ddim awydd bod yng nghwmni Vera o gwbwl. Hyd yn oed petai hi'n ei chynnig ei hun i mi, doedd hi ddim fy nheip i o hogan. Roedd hi'n ddigon dymunol, ac yn gwmnïwr diddan, ond doedd ganddon ni ddim oll yn gyffredin ar wahân i'n hadnabyddiaeth o Magi, ac roedd ei sgwrs yn troi yn gyfan gwbl o gwmpas Magi. Mi geisiais newid cyfeiriad y sgwrs sawl tro.

"Ti 'di clywad cân dda yn ddiweddar?"

"S'gin i'm mynadd hefo'r sgrechian gwirion 'ma. Ma' Magi'n teimlo'r un fath â fi."

Neu:

"Ti'n brysur yn y gwaith?"

"Un rheol s'gin Magi a fi – dim siarad am waith! Iawn?"

Neu:

"Dwi'n lecio'r brechdana 'ma. Letys a nionod yn neis 'fo'i gilydd, 'ntydyn?"

"Ffefret Magi a finna."

Onid oedd pob stori a sgwrs yn dod â ni'n ôl at Magi? Bob tro. Ac mi feddyliais i fwy nag unwaith, "Pam?" A beth ar wynab y ddaear roeddwn i'n ei 'neud yn Happy Valley hefo Vera? Mi ges i fy atab.

Roeddan ni wedi gorffan ein picnic a finna wedi sbydu pob math o sgwrs fedrwn i. Wrth hel y papura i'w rhoi'n ôl yn ei bag mi blygais at Vera, a rhoi cusan iddi ar ei boch.

"Paid!" gwaeddodd yn wyllt. "Dim hogan fel'na ydw i!"

Yna, yr un mor sydyn ymdawelodd. Mi edrychodd arna i'n hir cyn deud, "Dwi ddim isho i Magi gael ei brifo."

"Be ti'n feddwl?"

"Ti'n gwbod yn iawn be dwi'n feddwl."

Ond doeddwn i ddim. Neu oeddwn i? Ella mai pwrpas y trip i Landudno oedd fy rhybuddio i gadw draw oddi wrth Magi Fawr. Distaw, a deud y lleia, oedd y trip adra yn y bỳs. Mi geisiais fy ngora i gynnal sgwrs, ond roedd hi'n anodd ar y diawl. A ninna'n nesáu at Gonwy mi drois ati a deud, "Mi wellith pan ddaw."

"Be?"

"Y *flyover*. Mi wellith y traffig pan ddaw honno."

"O, roeddwn i'n meddwl am rwbath arall."

"Be 'lly?"

"Cân dda glywais i'n ddiweddar."

"Be oedd hi?" gofynnais, yn falch o gael rhywbath i sgwrsio amdano o gofio am ei diffyg diddordab mewn caneuon yn gynharach yn y dydd.

"Cân gin Chris Farlowe. Dwi'n siŵr y basa chdi'n ei lecio hi, yn enwedig o gofio be fuon ni'n siarad amdano fo'r pnawn 'ma."

"Am be uffar fuon ni'n siarad ond am dy obsesiwn di am Magi Fawr?" Dyna be fuodd bron i mi ofyn iddi, ond brathais 'y nhafod mewn pryd. Yn y distawrwydd ddilynodd hynna, mi fûm i'n ceisio cofio pa un oedd cân Chris Farlowe. Yna cofiais, a ddeudais i ddim byd mwy nes ffarwelio â hi wrth y *bus stop*.

You don't know what's going on, you've been away for
  far too long
You can't come back and think you're first in line
You're out of touch my baby, my poor old-fashioned baby
I said baby, baby, baby you're out of time.

* * *

Wn i ddim pam, ond roedd gen i hannar ofn gweld Magi Fawr y noson honno. Pe bai hi bum munud yn hwyr yn cyrraedd y Vaults mi fasa hynny wedi bod yn ddigon o esgus i mi droi am adra, ond roedd hi yno'n disgwyl amdana i. Mi ges i sioc pan welais i hi gynta. Roedd hi wedi clymu'i gwallt tu ôl i'w phen ac mi feddyliais am Buddug Wyn yn syth. Wedi'i gweld hi, rhois i Vera a'r pnawn o fy meddwl; roeddwn i'n edrych ymlaen am noson dda yn ei chwmni.

"Fodca a leim?" gofynnais.

"Well gin i fynd i rywla arall," meddai gan lygadu'r drws. Roedd hi fel petai'n ofni gweld rhywun yn dŵad i mewn.

"Gin i waith llowcio hwn gynta," atebais gan godi 'mheint.

"Un sydyn, 'ta."

Mi godais ddyblar iddi cyn gofyn.

"Ble 'sa chdi'n lecio mynd? Pictiwrs?"

"Be sy 'na?"

"Wn i'm be sy yn y County, ond ma' *Dr Zhivago* yn y Plaza. Sut beth ydi hwnnw wn i ddim."

"Cwooo! Omar Sharif!"

"Tisho 'i weld o?"

"Iawn! Grêt!"

Roedd y Plaza yn llawn a phob sedd ddwbwl wedi'i llenwi. Roeddan ni'n ista dair rhes o'r cefn, felly mi fuo'n rhaid i ni fihafio o ran twtsiad ein gilydd.

Nid Magi Fawr ond Buddug Wyn oedd hefo fi mewn gwirionedd, ac yn y lled dywyllwch hawdd oedd dychmygu hynny. Arglwydd, am ffilm hir ac am ffilm ddiflas. Ffilmia cowbois a rhyfal oedd fy mhetha mawr i, ond rhyw stori garu oedd hon. Ffilm i ferched, er bod y miwsig yn reit dda.

"'Nôl i'r Vaults?" meddwn wrth gerddad allan o'r Plaza.

"Naci!" medda hitha fel bwlat.

Suddodd fy nghalon. Roeddwn i'n meddwl yn siŵr mai'r awgrym nesa fasa mynd yn ôl i Beech Rd. Doeddwn i ddim yn ffansïo cwarfod Vera heno.

"Gin i well syniad," meddai'n dawal yn fy nghlust. "Awn ni i'r British!"

"Arglwydd! Ti'n gwbod be 'di pris peint yn fan'no?"

"Nid dyna dwi'n feddwl," medda hitha gan fy nhynnu i'w chanlyn. "Eniwe, tala di am un rownd, mi dala i am bob dim arall!"

"Aros!"

Fedrwn i ddim credu fy llygaid. Yn cerddad yr ochor arall i'r stryd roedd Buddug Wyn hefo rhyw foi hirwalltog.

"Buddug Wyn!" gwaeddais.

Arhosodd y ddau ac edrych i'n cyfeiriad. Mi ddeudodd y boi rwbath yng nghlust Buddug Wyn, a'r peth nesa welwn i oedd yr hirwallt yn cerddad yn ei flaen a Buddug Wyn yn ei ddilyn.

"Buddug Wyn!" gwaeddais drachefn. Fedra hi ddim peidio clywad. Ond yn eu blaena yr aeth y ddau.

"Oedda chdi'n eu nabod nhw?"

"Ffrindia ysgol."

Roeddwn i'n dal i edrych ar Buddug Wyn yn mynd yn ei blaen, yn cymryd arni nad oedd hi'n fy nabod i.

"Tyrd, wir Dduw! Ne' mi fydd hi'n fora Sul!"

Cyn i mi sylweddoli beth oedd yn digwydd, roeddwn i'n sefyll wrth y bar ynghanol criw swnllyd yn trio ordro fodca a leim a pheint o fics. Roedd Magi wedi diflannu. Roedd Buddug Wyn yn dal ar fy meddwl i.

Pan ddaeth Magi Fawr yn ei hôl roedd yna wên ryfadd ar ei hwynab, ac roedd hi'n rhyfeddol o debyg i Buddug Wyn.

"Iechyd da!" meddai, gan afael yn ei diod a'i lowcio mewn un.

"Arglwydd! *Hold on…*"

"Tyrd! Ymlacia!" Ac ar hynny mi gododd, a stwffiodd at y bar a chodi dyblar arall iddi hi'i hun. Daeth yn ei hôl.

"Ble awn ni, 'ta?" holais, wrth gymryd sip arall.

"'Dan ni yma!" meddai hitha, gan estyn ei llaw i'w bag a rhoi rhwbath calad yn fy llaw i. Bu bron i mi dagu ar fy niod. Roedd hi wedi gwthio goriad stafall i fy llaw i.

"Mi gawn ni lonydd yma," meddai, gan wincio arna i, yna'n ddistawach sibrydodd, "Mi a' i i fyny'n gynta – dim ond am un dwi wedi'i dalu!" Ac fe gymerodd y goriad oddi arna i a'i roi yn ôl yn ei bag. "Gin i lysh hefyd!" ychwanegodd, gan dapio'i bag.

Sut oedd hi'n medru fforddio hyn, wyddwn i ddim. Roeddwn i'n gwbod mai i Gyngor Gwyrfai roedd hi'n gweithio, ond rhaid bod y stafall wedi costio o leia ddwy bunt iddi, ella dair. Ac am funud mi es i deimlo'n annifyr. Fe ddaeth geiria Vera'n ôl i mi, a chân Chris Farlowe:

You don't know what's going on…
…my poor old-fashioned baby,
baby, baby, baby you're out of time…

Oedd yna ryw ddealltwriaeth rhwng y ddwy? Oedd y ddwy wedi cynllunio heddiw yn ofalus? Oeddan nhw'n herian ei gilydd? Ella'u bod nhw'n *lesbians,* ond bod Magi isho'r gora o ddau fyd? Bu ond y dim i mi droi'n gachwr a denig. Roeddwn i'n gweld y ddwy yn cyfarfod wedyn, ac yn cymharu be ddigwyddodd yn y pnawn a chyda'r nos. Roeddwn i'n gweld cythral o ffeit rhwng y ddwy. A beth petawn i yno? Yn y canol rhwng y ddwy? Neu'n waeth, beth petai'r ddwy yn fy ngholbio i?

Aeth fy meddwl yn ôl i'r noson honno yn Beech Rd pan ges i gic gan Vera yn fy môls. Ai dychmygu'r ddau gorff gwyn ynghlwm yn ei gilydd wrth y tân wnes i? Roedd fy meddwl yn rasio'n wyllt pan dorrodd Magi ar fy nhraws, "Dwi'n mynd, tyrd i fyny mewn rhyw bum munud. Ystafell 17."

Roeddwn i'n meddwl fod pob llygad yn y bar yn edrych tuag ata i pan godais i'w dilyn. Cyn dringo'r grisia mi es allan i'r nos a sbiad i lawr y Stryd Fawr i'r cyfeiriad yr oedd Buddug Wyn wedi mynd. Roedd hynny'n dal ar fy meddwl i. Bûm allan am rai munuda cyn dychwelyd i'r cyntedd. Mi sleifiais i fyny i'r llofft a dilyn yr arwyddion i stafall 17. Roedd Magi Fawr yn barod amdana i. Roedd hi wedi diffodd gola mawr y stafall, ac wedi gadael y gola bach yn ymyl y gwely ynghynn. Gwely bach oedd o ac roedd hi'n eistedd arno. Roedd ganddi dymblar plastig llnau dannadd yn un llaw a hannar potal o wisgi yn y llall.

"Gei di yfad o'r botal," meddai, gan ei hestyn i mi.

Unwaith eto, yn y lled dywyllwch hefo'i phoni-têl, mi sylwais mor debyg i Buddug Wyn roedd hi. Wedi cau'r drws mi es i eistedd ati. Dwy swig ges i cyn iddi gymryd y botal o fy llaw a'i rhoi hi a'r tymblar ar y bwrdd bach wrth ymyl y gwely.

"Reit, *lover boy*!" medda hi, gan godi a dechra dadwisgo.

Oedd, mi roedd Magi'n fawr, ond mi roedd hi'n dlws hefyd. Pan welais ei bronna llawnion yn disgyn o'i bra, dechreuais ddadwisgo fy hun. Yn ara bach i ddechra, ond yna aeth yn ras. Am y cynta i orffan. Hi enillodd, ac wrth weld y bronna a'r clunia gwynion yn dod amdana i, ildiais. Gorweddais ar fy nghefn yn nhraed fy sana, a gadael i bopeth ddigwydd yn naturiol. Hi oedd yn arwain y tro cynta ac roedd hi'n nwydwyllt ac yn angerddol wrth garu. A rhwng pob sesiwn, fe ddiflannodd y wisgi fesul swig.

Dwi'n cofio deffro rywbryd ganol y nos, yn gafael yn dynn am y meddalwch cynnes oedd yn fy ymyl. Dwi'n cofio gwthio 'mhen rhwng ei bronna a finna jyst â marw isho crio. Mi ddaeth Anti Mabel a Buddug Wyn i 'nghof i. Rhwng cwsg ac effro, dwi'n cofio 'nghefn i'n brifo, a finna'n methu dallt pam. Yna mi gofiais. Gwely bach, a dau yn sownd yn ei gilydd arno. Roedd anadl gynnas gyson Magi ar fy ngwddw, a 'nghoes i'n sownd rhwng ei choesa hi. Roedd hi wedi clymu'i choes ei hun dros fy nhin, ac am a wyddwn i dyna'r unig beth oedd yn 'y nghadw i rhag disgyn o'r gwely. Roeddwn i'n brifo i gyd, ond yn ofni symud rhag i mi ei deffro. Yna, mi gofiais am Buddug Wyn. Pam ei bod wedi fy anwybyddu? Be oedd cân yr Ivy League hefyd?

There she goes with her nose in the air,
Funny how love can be.
I wonder why she pretends I'm not there?
Funny how love can be...

Pennod 5

*P*wy fedar ddeud ble mae'r llinell dena sy'n cael ei galw'n ffin rhwng realiti a ffantasi? Pan fydda i'n gwrando ar rai o'r caneuon yma, ac yn canolbwyntio ac yn ymgolli yn y gerddoriaeth a'r geiria, maen nhw'n real ac yn berthnasol i mi, ac i neb arall. Mi fedra i uniaethu â'r teimlad sydd gan y cyfansoddwr yn ei dôn, a'r awdur yn ei eiria, ac edrych tu hwnt i'w profiada nhw, a'u priodoli i mi.

Ie, i mi.

I 'mhresennol i, ac i 'ngorffennol i. Gyda chaneuon da, mi fedra i groesi'r ffin rhwng realiti a ffantasi. Ac mae caneuon da yn ymestyn ffinia'r meddwl.

Dyna pam 'mod i wedi penderfynu mai Dr Jackson ydi Dad. Bob tro y gwela i o, nid meddyg wela i, ond gŵr ffeind a charedig sy'n ceisio fy helpu i. Dwi'n gwbod yn ddistaw bach nad Dad ydi o, ond be 'di'r ots? Pan fydd o'n siarad, pan fydd o'n cynghori – yn wir bob tro y gwela i o – Dad ydi o. Nid Dr Henry Jackson ond William Russell Thomas. Dydi hi ddim ots fod Dad wedi marw. Dydi hi ddim ots fod taflan ei gnebrwng o'n dal gen i. I mi bellach, Dr Jackson ydi Dad. Rydw i wedi medru croesi'r ffin hefo fo a chreu cornal o fyd bach cysurus i mi fy hun.

A Dr Smallfoot? Mi chwarddais i pan glywais i enw Dr Smallfoot y tro cynta… meddyg y droed fechan!

"Wyddoch chi be ydi ystyr eich enw chi yn Gymraeg?" gofynnais i Dr Smallfoot un tro.

"*Deudwch wrtha i,*" *medda Dr Smallfoot.*

"*Troed fechan!*" *meddwn inna. Ac mi atebodd fel siot,* "*Yn ôl eich ffeilia chi, nid troed fychan sydd gennych chi, beth bynnag!*"

Mi ddaru'r ddau ohonan ni wenu ar ein gilydd. Ac o fan'no 'mlaen roeddan ni'n dallt ein gilydd. Ond mae'n haws jocian am biji-bôs hefo doctor, 'ntydi?

Dyna un peth arall am ddoctoriaid. Fedrwch chi fyth gael y gair ola mewn sgwrs na dadl. Maen nhw wastad yn gwbod mwy, ac mor barod hefo'u hatebion.

Dwi rŵan yn gorfadd ar fy ngwely a fy llygaid ynghau, ac mae Dad yn deud wrtha i be i'w wneud. Am ei fod o yma, dwi'n medru ymlonyddu ac ymlacio. Mae popeth yn iawn.

Mi fydda i'n aml yn gorfadd yn ôl ac yn meddwl am Dad cyn agor y ffeil nesa, oherwydd mae gwrando arno fo yn medru cyflyru fy meddwl i fod yn y cywair priodol wrth i mi ail-fyw'r hanas. Hon ydi fy ffefryn i o'r holl ffeilia, oherwydd yn hon mi fydda i'n cael dau ddiwrnod cyfan braf o nefoedd ar y ddaear. Mae'r dyddia yma eto yn rhan o'r gornal. Cornal y byd bach cysurus. Pe medrwn i luosi'r ddeuddydd yna â'r deugain a saith mlynadd y bûm i ar y ddaear, mi faswn i wedi byw mewn byd real, mewn byd go-iawn, mewn byd yn llawn hapusrwydd, yn llawn profiada tyner a chofiadwy.

Hon hefyd ydi'r ffeil hiraf o ddigon. Gan fod y ffeil hon mor bwysig i mi, dwi wedi gofalu manylu am bob peth ddigwyddodd yn ystod y dyddia. Yn wahanol i'r ffeilia eraill, does dim rhaid i mi wrando ar un gân cyn ei hagor hi, ac os ydi Buddug Wyn yn swnio fel Iances a Dulyn mor wahanol i Gnarfon ne' Bangor, be 'di'r ots? Dibynnu pwy ydach chi, ond llathen o'r un brethyn ydi ardal, dre neu wlad – ble bynnag ydach chi. Ac i mi, am ddau ddiwrnod yn fy mywyd, Iwerddon oedd Cymru a Juliette oedd Buddug Wyn... un oeddan nhw...

Mi ddigwyddodd 'na ddau beth trawmatig i mi o fewn ystod pum niwrnod. Yn gynta, mi ddiflannodd Anti Mabel unwaith eto. Roedd hyn chwe mis union wedi iddi ddiflannu i rywla o'r blaen. Dim ond unwaith roeddwn i wedi siarad â hi ers ein cyfarfyddiad ola, ac ar y ffôn ychydig ddyddia'n ôl y bu hynny.

"Anti Mabel?"

"Abi!" Ond roedd yna rwbath ar goll yn ei llais hi. Trio swnio'n falch o glywad fy llais i roedd hi. Roedd 'na ryw grac yn ei llais, ac roedd ei lleferydd yn union fel petai hi wedi bod yn yfad. Yfad lot.

"Sut 'dach chi, Anti Mabel?"

"Iawn, 'sti..." Doedd hi ddim yn swnio'n iawn.

"Gawsoch chi 'mharsal i?"

"Do, 'ngwas i, mi ges i dy barsal di, a mi dwi wedi cael oria o blesar wrth ddarllan dy lyfr di..."

Dwi'n cofio i mi roi ochenaid o ryddhad. Doedd hi ddim wedi ymatab o gwbwl a doedd hi ddim wedi gyrru llythyr na dod i 'ngweld i.

"Dwi wedi bod i fyny 'cw unwaith ne' ddwy, ond doeddach chi ddim adra..."

"Dwi o'ma lot rŵan... bob penwythnos, 'sti. Does yna ddim point i chdi alw."

"Ond dwi isho'ch gweld chi, Anti Mabel..."

"Na!" Mi ddeudodd hi hynny'n syth ac yn bendant.

"Ond ma' gin i bythefnos o wylia! Dechra dydd Llun

nesa. Roeddwn i'n meddwl dod adra ddydd Sadwrn."

"Fydda i ddim yma... rhaid i ti beidio dod! Fedri di ddim dod!"

"Dwi'n poeni amdanach chi, Anti Mabel..."

"Mae dy Anti Mabel yn iawn, Abi bach!"

"Ddowch chi i ffwr' hefo fi i rywla am benwythnos, 'nta?"

Distawrwydd llethol am ennyd. Ac yn yr ennyd honno roedd hi wedi ystyried a phenderfynu.

"O Abi! Mi fasa hynny wrth fy modd i." Ond doedd 'na ddim digon o bendantrwydd yn ei hatab.

"Dim ond ni'n dau. Mi gawn ni siarad go-iawn."

Distawrwydd eto. Yn union fel petai hi'n meddwl yn ddwys dros fy nghynnig i, ond pan siaradodd hi wedyn, mi wyddwn mai crio roedd hi.

"Rhywdro eto, ia? Yli, rhaid i mi fynd."

Ac aeth y ffôn yn farw. A dyna'r tro ola i mi siarad â hi. Rŵan roedd hi wedi diflannu eto.

Yr eilbeth ddigwyddodd oedd fod Misty wedi cael ei ladd mewn damwain moto-beic. Yn ôl y stori yn y *Daily Post*, roedd o wedi pasio rhes o geir ar stretsh Llanfairfechan ac wedi methu osgoi lorri oedd yn dod i'w gyfarfod. Roedd hi'n gythral o glec – *head-on*.

Mi fûm i'n meddwl llawer am Buddug Wyn yn ystod y dyddia wedyn. Mi ges i bylia o euogrwydd mawr wrth gofio rhai o fy mreuddwydion. Toeddwn i wedi breuddwydio y bydda hyn yn digwydd? Ai fi oedd wedi ewyllysio ei farwolaeth? Roeddwn i'n euog! Ac roeddwn i'n dal i deimlo'n euog, oherwydd yr hyn âi drwy fy meddwl rŵan hyd yn oed, oedd fod Buddug Wyn yn hogan rydd. Roedd hi'n fam ifanc ddel heb neb i'w chynnal. Mi gafodd Misty gnebrwng mawr. Lôn capal yn ddu o bobol, a Buddug

Wyn yn gorfod cael help i gerddad. Arglwydd, roedd gen i bechod drosti. Ches i ddim cyfla i'w gweld hi, roedd 'na gymaint rownd iddi yn y fynwant. Ond roeddwn i wedi penderfynu aros ychydig ddyddia a mynd i fyny i'w gweld pan fyddwn i adra nesa.

***

Roedd gen i bythefnos o wylia o 'mlaen ac roedd gen i ddigon o bres i fynd i rywla o'r diwadd.

"Be haru chdi?" Owan Bach oedd yn harthio arna i.

"'Im byd."

"Ti'm 'di deud dim ond sbio i dy beint ers deng munud."

"Petha ar 'y meddwl i."

Ysgydwodd Owan Bach ei ben.

"Tisho gêm o ddarts, 'ta?"

"Na... o ce, 'ta!" Waeth i mi drio ddim.

Ac yno y buom ni am ddau beint, yn chwara 301. Wedyn cyrhaeddodd y Gwyddel.

"Donal!" gwaeddodd Owan Bach, a daeth Donal yn syth atom. Duw ŵyr ymhle nac o dan ba amgylchiada roedd y ddau wedi cwarfod, ond mi es i deimlo'n anghysurus yn ei gwmni. Y peth cynta wnaeth Owan Bach oedd egluro nad oedd gen i ddiddordab mewn gwleid-yddiaeth a 'mod i'n trio meddwl am rywla i fynd ar fy ngwylia.

"Rhaid i ti fynd i Dwblin!" meddai Donal. "Fyddi di wrth dy fodd yn Dwblin. A phan ddoi di i garu Dwblin fe ddoi di i garu Iwerddon a'i phobol. A phan ddoi di i garu Iwerddon, fe fyddi di'n caru Cymru cymaint mwy!"

Yr hyn roeddwn i isio 'i ddeud wrtho oedd fy mod i'n caru Cymru yn fy ffordd fy hun, ond dyna pryd y sylweddolais i nad oeddwn i mewn gwirionedd erioed wedi meddwl o ddifri am hynny. A daeth wynab Abram Ifans i fy meddwl i. Abram Ifans yn colli dagra wrth i mi ddarllan pwt o farddoniaeth…

"Mae o wedi'i daro'n fud!" meddai Donal.

"Abi!" Owan Bach oedd yn siarad. "Dy feddwl di ymhell!"

"Abram Ifans…" dechreuais cyn sylweddoli'n iawn beth roeddwn i'n ei ddeud. Ac fel pe bai yna ryw gynllwyn rhwng Owan Bach a'r Gwyddel fe ddeudodd Donal, "Adra mae o'n dechra, Abby… Caru dy gartra a dy deulu er gwaetha'u beia – yna ymestyn hynna i dy gymdogaeth. Cam bach ydi o wedyn i garu dy wlad."

Wrth fy ngweld i'n pendroni ac yn oedi cyn atab fe sibrydodd Owan Bach yn fy nghlust i, "Pregath Abram Ifans!"

"Yn siŵr rydach chi Gymry'n od!" meddai Donal cyn camu at y bar i lenwi'i wydr.

"Dwi'n mynd!" deudais wrth Owan Bach. "I chi gael siarad."

Winciodd arna i cyn troi i ddilyn Donal. "Dos i 'Werddon. Ticad cwch, a hostel ac mi gei di lwyth o lysh a fodins, a newid o ugian punt!"

Yn ôl yn y tŷ mi heliais betha at ei gilydd. Es lawr i'r Post a chodi pum punt ar hugain, edrych ar amseroedd y trên a'r gwch, wedyn dal y bỳs adra.'Mond i mi fod yn ôl ym Mangor erbyn saith, mi faswn i'n iawn.

"Dwi'n mynd drosodd i 'Werddon am wsnos," medda fi wrth Mam. "Mynd am 'chydig o seibiant."

"Dy hun ti'n mynd?"

"Ia."

"Ti'n meddwl fod hynna'n ddoeth?"

"Fel arall, mi fydda i rownd Bangor neu'n fa'ma yn cicio fy sodla."

Ochneidiodd fymryn. "Mi bacia i 'chydig o ddillad i chdi, 'ta." Yna ychwanegodd, "S'gin ti ddigon o bres?"

"Oes, diolch."

Mi es i'r llofft i hel ychydig o 'mhetha. Roedd Anti Mabel yn dal ar fy meddwl i. Ble roedd hi, tybad? Roeddwn i'n ei gweld hi'n unig, ymhell oddi wrtha i a phawb roedd hi'n nabod, ella'n gorwedd yn sâl yn rhywla? Roeddwn i wastad wedi meddwl fod yr hyn oedd rhwng Anti Mabel a finna'n sbeshal. Roeddwn i'n medru deud pob peth wrthi hi; pam na fedra hitha ddeud wrtha inna? Yna mi ges i blwc o ansicrwydd. Ella'n wir mai arna i roedd y bai? Oeddwn i'r math o hogyn y basa hi'n ymddiried ynddo fo? Oeddwn i'r math o hogyn y basa unrhyw un yn ymddiried ynddo fo? Ella mai dyna oedd y broblam hefo Buddug Wyn? Ella fod Anti Mabel wedi cael dyn arall? Ella mai wedi rhedag i ffwrdd i fyw hefo rhywun arall roedd hi, ac yn methu deud hynny wrtha i?

Mwya'n y byd y meddyliwn i am bopeth, dyna'r unig eglurhad oedd yn gneud synnwyr i mi. Mi fûm i'n ceisio dychmygu sut ddyn oedd o tybad? Tebyg i Yncl Sam? Mi deimlais i ryw chwys oer am eiliad. Oeddwn i'n *jealous*? Roeddwn i'n gobeithio y basa hi rŵan yn cael hapus-rwydd. Ac roeddwn i'n gobeithio hynny – o waelod 'y nghalon.

"Glywist ti gin Anti Mabel o gwbwl?" gofynnodd Mam yn ddidaro amsar te. Er mai yn ddidaro y gofynnodd hi, roeddwn i'n rhyw deimlo mai pysgota roedd hi. Roedd yna rwbath yn od yn ei llais hi. Mi ddeudais i gelwydd wrthi.

"Naddo. Glywsoch *chi* rwbath?"

"O'dd May Hughes yn deud yn Coparet fod Jenkins Twrna wedi mynd i Lundan, ac mai mynd i weld Mabel 'nath o."

"I Lundan!" Pan godais 'y mhen mi welwn fod Mam yn sbio'n syth ata i.

"Dwyt ti'n gwbod dim am hynny?"

"Nach'dw. Pam 'dach chi'n gofyn?" Mi ddeudais i hynny braidd yn gas. Aeth hitha'n ei blaen yn araf. "Mi roedd Sam a finna wedi sylwi dy fod ti'n mynd yno'n amal cyn i chdi symud i Fangor." Roedd yna fymryn o fin ar ei llais hi.

"Dwi'n mynd yno ers pan o'n i'n ddim o beth!"

Mi fuodd 'na ddistawrwydd annifyr am ychydig. Roeddwn i'n gwbod yn iawn i ba gyfeiriad yr oedd hi am lywio'r sgwrs. Mi driodd wedyn, "Wyt ti isho deud rhwbath wrtha i?"

"Fel be?"

"Dydan ni ddim yn dwp, 'sti! Mae Sam a finna'n clywad be mae pobol yn ddeud 'fyd!"

"Amdana i?"

"Chdi… ac Anti Mabel."

"Mae hi wedi mynd o'ma meddach chi!"

"Pam aeth hi o'ma?"

"Dwi'm yn gwbod!"

"Ti'n gwbod yn iawn, ac mi faswn i'n gesho dy fod ti hefyd yn gwbod lle mae hi!"

"Nach'dw!"

"Ydi hi yn Iwerddon?"

"Rydach chi newydd ddeud ei bod hi yn Llundan!"

"Pam na ddeudi di'r gwir wrtha i?"

"Mam! Dydw i ddim yn gwbod lle mae hi! Reit!"

Mi aeth petha'n gas wedyn. Mi ddechreuodd Mam

snwffian crio, "S'gin ti'm syniad y loes ma'r ddynas yna wedi dod i'w chanlyn i'r tŷ yma! Dynas ddrwg ydi hi! Gofyn i Sam, gofyn i rywun! Er mwyn dyn, plentyn wyt ti!"

"Dwi'n ddeunaw, Mam!"

Ond ailadroddodd ei geiria ola. "Plentyn wyt ti!"

Doeddwn i ddim yn dallt am funud. Wedyn y gwawriodd o arna i. Rhaid fod y straeon amdana i ac Anti Mabel wedi bod yn tanio tafoda'r pentra, a bod Mam ac Yncl Sam yn eu clywad fesul mymryn. Ond be fedra'r straeon fod? 'Mod i'n mynd draw i weld Anti Mabel yn aml? Doeddwn i ddim wedi deud wrth neb be oedd yn digwydd yn nhŷ Anti Mabel, a go brin fod Anti Mabel chwaith. A be oedd Mam yn ei olygu pan ddeudodd hi fod Anti Mabel wedi dod â loes i'n tŷ ni? A pham gofyn i Yncl Sam amdani? Am ei fod o wedi bod yn briod â hi? Mi benderfynais yn y diwadd mai'r sibrydion oedd wedi'i gwylltio mae'n rhaid. Siŵr fod y rheini wedi bod yn ei chorddi ers tro. Mi feddyliais am ei hatab yn wyllt a rhuthro o'r tŷ mewn tempar, ond Mam oedd hi wedi'r cyfan.

"Dwi am fynd allan am dro. Ella a' i lawr pentra i weld Buddug Wyn," meddwn yn dawal. Ac ar hynny, mi godais oddi wrth y bwrdd, a chau'r drws yn dawal ar fy ôl.

Doeddwn i ddim wedi cerddad y pentra ers wythnosa ac mi ryfeddais fel yr oeddwn wedi ymddieithrio. *Caru dy gartra, wedyn dy gymdogaeth,*" dyna oedd geiria Donal. Ac wrth edrych o 'nghwmpas, dim ond un peth âi drwy fy meddwl i. Am dwll o le!

Pan ddois i olwg tŷ Anti Mabel, mi ges i hen deimlad rhyfadd. Bron â marw isho mynd at y drws cefn, cnocio arno, ei agor, a gweiddi, "Fi sy 'ma!" Bron â marw isho clywad Anti Mabel yn gweiddi, "Ty'd i mewn!" Bron â marw isho clywad ei llais hi, gweld ei gwên hi... Ond mynd heibio wnes i. Roedd y chwyn bron â thagu'r ardd ffrynt ac yn gwthio heibio'r slabs concrit oedd yn mynd at y drws. Ar wahân i hynny, roedd o'n union fel yr oedd o o'r blaen.

Wrth gnocio ar ddrws tŷ ei rhieni y trawodd o 'meddwl i be ar wynab y ddaear roeddwn i'n mynd i ddeud wrth Buddug Wyn? Dim ond ein llygaid ddaru gwarfod yn y cnebrwng, ac mi roeddwn i'n dal i gofio'r wên fach roddodd hi i mi'r adag honno.

"Abi! Ty'd drwadd!" Roedd Mrs Jones yn wên ac yn groeso i gyd. "Mi wna i banad i chdi rŵan."

"Newydd godi o bwr' te ydw i, Mrs Jones. Wedi dod i weld Buddug Wyn ydw i. Heb gael cyfle..." Ac fe ges i bang o hiraeth wrth edrych ar yr holl lunia o Buddug Wyn hapus oedd yn britho'r seidbord a'r walia.

"Ma' hi wedi mynd i lawr i'r dre, cofia. Deud y gwir, fi heliodd hi allan am 'chydig iddi gael codi'i phen. Mae wedi bod yn stŷc yn y tŷ 'ma ers dyddia."

"Sut 'ma hi?"

"'Igon peth'ma, cofia. Mae o 'di deud arni, 'sti. Graduras, hitha mor ifanc."

"Sut ma'r hogia?"

"Dyna'r unig lawenydd sy yn y lle 'ma, 'sti."

"Sut 'dach chi'n cadw?" Roeddwn i'n prysur redag allan o gwestiyna.

"Ddown ni drw'ddi, 'sti. Gwnân duwcs, ddown ni drwyddi.'Dan ni'n rhai garw am ein gilydd, 'sti." Saib. "Yli, stedda!"

"Na. Wir i chi. Dwi'n cychwyn ar wylia.'Chydig o ddyddia yn 'Werddon. Jyst meddwl y baswn i'n lecio gweld

Buddug Wyn cyn mynd."

"Ddeuda i bo chdi 'di galw."

"Cofiwch fi ati. Ella ga i gyfle i alw ar ôl dod 'nôl."

"Gwna, ar bob cyfri. Dwi'n siŵr y bydd hi'n falch ofnatsan o dy weld ti."

A chydag ochenaid o ryddhad mi glywais i'r drws ffrynt yn cau o'r tu ôl i mi. Codais fy llaw i 'nhalcan. Roeddwn i'n chwys diferol. Ac fe ddaeth geiria Donal yn ôl i mi eto, *"Caru dy gartra, wedyn dy gymdogaeth."* A dyma fi wedi dod adra ac wedi ymweld â chartra yn y gymdogaeth... Ond pa fath o gariad oedd hynna? Ffraeo hefo Mam? Ac yn fwy na hynny, ai cydymdeimlo hefo Buddug Wyn oedd fy mwriad wrth fynd i'w chartra mewn gwirionedd?

Yn ôl adra, roedd Mam wedi clirio'r bwrdd, ond doedd dim golwg ohoni. Roedd fy nghês i ar y bwrdd wedi'i bacio'n daclus. Mi es i'r llofft. Roedd hi wedi pacio'r petha oedd ar y gwely hefyd. Es lawr yn ôl i'r gegin a gweiddi, "Mam!"

Dim atab.

Ceisiais drachefn. "Mam! dwi'n mynd i ddal y bỳs!"

Mi glywn sŵn yn dod o'r llofft, yna sŵn ei thraed ar y grisia. Pan ddaeth i'r gegin, roedd hoel crio arni. Roedd hi'n crynu i gyd pan ddeudodd hi, "Plîs, Abi, jyst deuda wrtha i be ddigwyddodd..."

Atebais i mohoni, jyst edrych yn reit sarrug, gafael yn y cês a mynd allan. "Mi fydda i'n ôl mewn wsnos!" gwaeddais, a difaru'n syth ar ôl i mi roi clep reit hegar ar y drws. Am rai eiliada sefais â 'nghefn at y drws a fy llygaid ar gau. Oeddwn i'n mynd yn ôl i mewn? Oeddwn i'n mynd i drio siarad hefo hi eto? Cerddad i'r *bus stop* wnes i heb edrych yn ôl a geiria'r Gwyddel yn chwyrlïo rownd fy mhen i.

* * *

Roedd hi'n reit brysur yn Stesion Bangor. Mi godais dicad, mynd i eistedd ar un o'r meincia a rhoi 'nghês yn fy ymyl. Roedd 'na gang anystywallt o blant yn chwara tic rownd y fainc, a'u rhieni nhw'n deud dim wrthyn nhw.

Am ryw reswm mi ddaeth y gair "crio" i'm meddwl i. Roedd yn ymddangos fod pawb oedd yn agos ata i yn gwneud eu siâr o grio y dyddia yma. Anti Mabel, Mam, Buddug Wyn. Yna, wrth wylio'r plant yn chwara daeth geiria cân y Rolling Stones i 'mhen i:

It is the evening of the day,
  I sit and watch the children play
Smiling faces I can see but not for me
I sit and watch as tears go by...

Rhaid fy mod i'n dwysfyfyrio ac mewn byd bach ar fy mhen fy hun, oherwydd daeth llais Iances i dorri ar fy myfyrdod i, "Rhywun yn ista yn fa'ma?" Roedd yna wynab tlws, gwallt melyn a rhes o ddannadd gwynion perffaith yn sbio arna i. Wrth iddi wenu, roedd ei bochdylla'n codi. Am funud fedrwn i wneud dim ond rhythu arni. Ailofynnodd ei chwestiwn, "Oes yna rywun yn ista yn fa'ma?" a phwyntiodd at fy nghês i.

"Nagoes, wrth gwrs nad oes yna," meddwn yn ymddiheurol, gan symud y cês. Y rheswm i mi oedi oedd ei bod hi'n uffernol o dlws, ac yn fy atgoffa i o Buddug Wyn.

"Jake!" gwaeddodd. "Mae 'na le i ni yn fa'ma!"

Ar hynny daeth llipryn main, tal aton ni. Roedd o'n gwisgo het gowboi ar ei ben. "Howdi?" meddai hwnnw, gan fflachio rhes arall o ddannadd gwynion.

"S'mai!" meddwn inna, gan fod yn reit eiddigeddus ohono.

"Ti'n mynd ar y trên nesa?" gofynnodd Jake.

"Yndw, i Gaergybi, wedyn i 'Werddon," atebais inna.

"A ninna!" meddai'n llawn gorfoledd, cyn ychwanegu, "Mae fy chwaer a finna'n aros yn Nulyn heno a nos fory, wedyn mynd ar draws i Galway ar y ffordd 'nôl i'r *States*."

Chwaer! Edrychais arni eto a gwenu.

"Jake ydw i a dyma Juliette, fy chwaer."

"Abi ydw i," meddwn i, gan osgoi deud fy enw llawn. "Mynd am wsnos i 'Werddon. Gwylia," eglurais.

Yn y chwartar awr gymerodd hi i'r trên gyrraedd, mi ges i hanas bywyd Jake a Juliette. Roedd eu tad, Calico Sullivan, yn cadw Calico's Bar ym Memphis, Tennessee. Bar Gwyddelig. Roedd eu taid o dras Gwyddelig, ac roeddan nhw ill dau newydd fod yn Llundain yn gweld y Rolling Stones mewn cyngerdd byw. Roeddan nhw rŵan yn dychwelyd adra, ond yn ymweld â theulu yn Galway ar eu ffordd. Pan ddeudodd o hynny, dim ond mewn un peth roedd gen i ddiddordab, "Y Stones!" rhythais mewn syndod.

"Waw! Mi ges i lofnod Keith Richard!" gwichiodd Juliette, gan estyn yn ddwfn i'w bag a thynnu darn o bapur allan.

Am a wyddwn i, gallai'r sgribl fod yn llofnod unrhyw un, ond cyd-lawenhais â hi, jyst i weld y dannadd gwynion unwaith eto. Mentrais.

"Pan ddoist ti ata i gynna fach, roedd yna un o ganeuon y Stones yn mynd trwy fy meddwl i."

"Ga i gesho? 'Paint It Black'?"

"Nage," ond priodol, meddyliais.

"'Get Off My Cloud'?"

Ysgydwais fy mhen, a rhois gliw iddi. "Cân drist!"

"'Satisfaction'?"

Chwarddais cyn ychwanegu, "'As Tears Go By'."

"Dwyt ti ddim yn edrych yn berson trist."

"Pawb i fyny ac i lawr weithia'n tydi?"

Daeth y ddau i eistedd gyda mi yn y trên, ond roeddwn i'n fodlon derbyn y byddardod dim ond i gael edrych ar wynab Juliette. Roedd hi'n hogan dlws iawn, yn ei hugeinia cynnar debygwn i, ond ei brawd flwyddyn neu ddwy yn iau.

"Be 'di dy waith di?" gofynnodd Juliette.

"Is-reolwr siop," atebais yn glwyddog i gyd. "Be 'dach chi'ch dau yn 'i 'neud?"

"Gweithio i *Daddy*!" meddai'r ddau gyda'i gilydd.

"Tybad lecia'r hen Galico gael barman?" Dyna aeth drwy fy meddwl i. Arglwydd, roedd hi'n bishyn. Roedd hi'n fwy na phisyn, a dwi'n siŵr iddi sylwi 'mod i wedi dechra sbio arni drwy'r amsar. Ond dim ond gwenu wnâi hi bob tro y bydda'n llygaid yn cyfarfod. Cyn pen dim, roeddan ni'n tri yn ffrindia penna! Y nhw'n fy holi i'n dwll a finna'n trio peidio sbio a siarad gormod hefo Juliette. Ac roeddan ni hefo'n gilydd ar y cwch hefyd.

"Tri pheint o Guinness!" medda Jake, gan gychwyn am y bar ar ôl i ni lwyddo i gael cadair yr un. Roeddwn i ar fin deud nad oeddwn i'n lecio Guinness, ond roedd hi'n rhy hwyr. "Wyt ti'n yfad Guinness hefyd?" meddwn i'n gellweirus wrth Juliette.

"Yn Calico's Bar, dwyt ti'n yfad dim byd arall!" meddai yr un mor chwareus, gan bwysleisio'r tri gair ola.

"Tu ôl y bar ti'n gweithio i dy dad?" Roeddwn i'n meddwl ei fod o'n gwestiwn digon diniwad, ond yn sydyn mi ddaeth y llygaid glas yn nes at fy llygaid i, a chan wenu mi ddeudodd, "Fi ydi'r *hostess with the mostest*!"

Gallwn deimlo'r gwrid yn codi. Oeddwn i wedi ei dallt hi'n iawn? Gwenu wnes inna hefyd. Yn llygad fy nychymyg mi welwn Juliette yn den Misty a Gogls yn codi'i chrys ac yn dangos ei bronna i mi. Wrth ddychmygu be allwn i ei gyffwrdd hefo pum punt ar hugain mi ledodd y wên ar fy wynab. Rhaid ei bod hitha wedi darllan fy ngwên, oherwydd roedd y wên ges i yn ôl yn un ddieflig o chwareus. Cyn i mi ddeud dim ymhellach, dychwelodd Jake gyda thri pheint.

"Iechyd da!" meddwn yn Gymraeg.

"Be?"

"Twll tin pob Sais!" meddwn drachefn, gan ddefnyddio un o ymadroddion Owan Bach… a meddwl yn sydyn na faswn i wedi deud y fath beth mewn tafarn adra.

"*Twth teen pobe size,*" dynwaredodd Juliette, a chan chwerthin yfodd chwartar y peint ar un swalo. Gwnaeth ei brawd yr un modd. Un sip gymrais i. Arglwydd, mi roedd o'n chwerw. Rhaid eu bod nhw wedi dallt.

"Dwyt ti ddim wedi arfar hefo Guinness?" gofynnodd Jake.

Ysgydwais fy mhen, "Meild neu mics fydda i'n yfad fel arfar."

"Mi helpith hwn chdi!" meddai Juliette. Aeth i'w bag ac estyn hip fflasg i mi.

"Be 'di o?"

"Diod tatws!" giglodd Juliette.

Go damia! Wedi helbulon y dyddia dweutha 'ma roeddwn i'n barod i ymlacio, felly mi ymunais yn yr hwyl. Agorais geg y fflasg a thywallt y diod tatws i lawr fy nghorn gwddw. Un cegiad ges i. Ar amrant mi rois i'r fflasg ar y

bwrdd gyda chlep a sythu i godi 'mheint. Roedd fy
ngwddw i ar dân, a'r tân hwnnw'n ffendio'i ffordd i fy
stumog i. Mi yfais inna chwartar peint o Guinness hefyd.
Am eiliad, mi gredais y baswn i'n chwydu fy mherfadd
yn y fan a'r lle, cymaint o gorddi oedd yn fy stumog i,
ond rywsut rywfodd mi roddodd y Guinness gaead ar fy
stumog i. Pan ddois ata fi fy hun, ac edrych am y bwrdd
â mi, roedd y ddau yn glanna chwerthin. Fedrwn inna
wneud un dim ond chwerthin hefo nhw.

"Be uffar oedd o?" gofynnais.

"Mae o'n gweithio bob tro!" eglurodd Jake. "Y pechod
mwya wnaiff dieithryn yn Calico's ydi deud nad ydi o'n
lecio Guinness. Mi fydd *Daddy* wastad yn cadw potal o
Poteen yn handi, a phan fydd pechaduriaid yn cael un dracht
o Poteen, maen nhw'n cythru am y Guinness yn syth!"

"Wyt ti wedi bod yn 'Werddon o'r blaen?"

"Tro cynta…"

"Tua'r degfed tro i Jake a fi…"

"Rhaid eich bod chi'n lecio'r lle?"

"Ein cartra oddi cartra… rydan ni wedi cael ein dysgu
i garu Iwerddon bron cymaint â'r *US of A*!"

Abram Ifans ddaeth i fy meddwl i, wedyn Owan Bach
a Donal… a rŵan dyma'r ddau yma eto yn sôn am garu
gwlad. Oedd yna fwlch yn fy mywyd i?

"Rwyt ti'n caru Lloegr, twyt?"

Taflodd ei chwestiwn fi.

"Nid Sais ydw i…" cychwynnais egluro'n gloff.

"Paid â mwydro'i ben o, Juliette!" Plygodd Jake ata i,
"Gei di bregeth Cuba yn y munud – ar ôl i chdi nôl peint
arall i ni!"

Aeth yr amsar, a'r croesiad, fel y gwynt. Doeddwn i
ddim isho cyrraedd Dun Laoghaire. Doeddwn i ddim isho

ffarwelio â nhw. Roedd hi wedi twllu ers meityn pan gerddodd y tri ohonon ni'n reit feddw drwy giatia'r porthladd a'i 'nelu hi am y trena oedd yn rhedag i Ddulyn.

"Yn ble wyt ti'n aros?" gofynnodd Juliette.

"Dwi'm 'di gneud math o drefniada... meddwl am un o'r hosteli oeddwn i."

"Diawl o beryg!" meddai Juliette. "Gei di ddod i'r hotel aton ni. Daera i 'mod i wedi gofyn am le i dri. Iawn, Jake?"

"Siŵr!" medda hwnnw, a'i lygaid yn troi'n ei ben.

"Bygro'r trên, gawn ni dacsi!" gwaeddodd Juliette, ac ar hynny dyma hi'n rhuthro i ganol y ffordd a stopio'r cynta welodd hi.

Wedi bwndelu'n hunain iddo, gofynnodd y gyrrwr i ble roeddan ni'n mynd.

"Wynn's!" atebodd Juliette. "Jyst oddi ar O'Connell St."

Gan mai hi oedd yn eistedd yn y tu blaen gyda'r gyrrwr, cafodd hwnnw druan ei fwydro'n rhacs. Roedd Jake yn pendwmpian yn fy ymyl i, a minna o bryd i'w gilydd yn dal llygad y gyrrwr yn ei ddrych. Roedd o a minna'n mwynhau arabedd y benfelen.

Rhywsut, dyma gyrraedd Wynn's. Bu'n rhaid aros ddwywaith ar y ffordd, oherwydd doedd Jake ddim yn teimlo'n dda. Ddwywaith y deffrodd o, a dwywaith bu'n rhaid aros ar fin y ffordd. Roedd y cradur bach mewn stad uffernol. Tra oeddwn i'n llongyfarch fy hun ac yn dechra meddwl diod mor dda oedd y Guinness wedi'r cyfan, aeth Juliette i'r gwesty ac mi setlais i hefo boi'r tacsi. Punt! Doedd fy mhres i ddim yn mynd i bara'n hir o'i wario fel hyn!

Rhoddais Jake i bwyso yn erbyn wal y gwesty, ac estynnais fy nghês i a'i fag ynta i'n hymyl. Daeth Juliette i ben y grisia oedd tu allan i'r gwesty ac amneidio arnon ni i'w dilyn i mewn.

"Jake! 'Dan ni yma!" gwaeddais yng nghlust y brawd. Agorodd fymryn ar ei lygaid, a phwysodd drachefn ar y wal. Bu'n daith araf. Hannar cario Jake, a chario cês a bag!

"Awn ni â 'mrawd i fyny gynta!" meddai Juliette gan estyn am y goriada. Rhwng y ddau ohonon ni fe gariwyd o i'r llofft. Daeth portar bychan eiddil yr olwg â'n bagia ar ein hola. Roeddwn i wedi sylwi mai dau oriad oedd gan Juliette. Edrychodd hi ar un o'r goriada. "38!" meddai. "Hon ydi stafall Jake!"

Cafodd Jake druan ei daflu yn ddiseremoni ar ei wely. Diolchodd Juliette i'r portar a gwthiodd ddarn arian i'w law. "Fyddwn ni'n iawn rŵan," meddai wrtho. Diflannodd hwnnw gan fwmial ei ddiolch.

"Well i ni dynnu'i gôt o, a'i 'sgidia," meddai Juliette, "ac mi adawa i nodyn iddo fo ein bod ni wedi mynd lawr y grisia am bryd o fwyd."

Y munud nesa roedd hi wedi taflu goriad stafall Jake ar y bwrdd, gafael yn ei bag a chychwyn o'r stafall. "Tyrd!" meddai'n reit awdurdodol wrtha i. Codais fy nghês bach a'i dilyn.

"43!" meddai wrth graffu yn y twllwch ar ddrws y stafall. Agorodd ef. Roeddwn i ar fin gofyn ble ddiawl roeddwn i i fod i gysgu pan dynnodd fi fewn i'r stafall, rhoi cic i'r drws i'w gau, a 'ngwthio i ar y gwely dwbwl. Mi ollyngais y cês mewn syndod.

"Be ti'n neud?" roeddwn i ar fin gofyn mewn protest, ond cyn i mi ddeud gair roedd gwefusa Juliette wedi'u cloi am fy ngwefusa i. Mi fuodd rhaid i mi dorri'n rhydd i gael fy ngwynt ymhen rhai eiliada.

"Ti wedi dychryn!" meddai.

Mi wenais yn ôl arni.

"Honna oedd y sioc fwya pleserus ges i erstalwm!" atebais gan estyn fy mhen ati eto. Ond gyda hynny, roedd hi ar ei thraed. "Tyrd o'na!" meddai. "Toes yna ddim amsar i falu cachu yn fa'ma rŵan. Mae Dulyn yn galw!"

"Be am Jake?"

"Welwn i mo'no fo tan y bora."

"Faint ma'r stafall 'ma'n gostio?"

"Dwi 'di talu am ddwy noson."

"Dwy!"

"S'gin ti le arall i fynd iddo fo?"

"Nagoes, ond…"

"Dyna fo, 'ta. Dwi wedi laru ar yr holl deithio, dwi isho brêc bach, a dwi'n bwriadu aros yn Nulyn heno a nos fory."

"Gad i mi dalu hannar…"

"Jyst gad hi, reit? Gin i ddigon o bres i bara mis os oes raid!"

Wnes i ddim dadla dim mwy, dim ond cysuro fy hun fod gen i dicad i fynd adra, ac os y baswn i wedi gwario'r cyfan oedd gen i mewn deuddydd – boed felly! Edrychais ar y stafall. Roedd hi'n ddigon cysurus. Gwely dwbwl, *dressing table* a dau ganhwyllbren a drych anfarth arno. Wardrob yn y gornal, a sinc i folchi rhwng y wardrob a'r *dressing table*. Steil!

Roedd bwyty Wynn's yn gorad yn hwyr, felly gadawsom neges i Jake yn y dderbynfa i ddeud ein bod yn y stafall fyta. Am y tro cynta ers misoedd mi ges i stêc a grefi a mynydd o datws. Dyna gymerodd Juliette hefyd – a dwy botal o win coch. Mi dreuliais i'r amsar uwchben y stêc i'w holi ymhellach. Tair ar hugain oed oedd hi, a'i brawd flwyddyn yn iau. Roedd hi wedi ei geni a'i magu ar Beale St ym Memphis.

"Glywist ti am Beale St?"

Ysgydwais fy mhen. Rhyfeddai at fy anwybodaeth.

"Ti ddim wedi clywad am Beale St? Fan'no ydi man geni'r *Blues*! Ti ddim wedi clywed am Roy Brown, Larry Darnell, Wynonie Harris a BB King?"

Oeddwn, roeddwn i wedi clywad am BB King, ond doeddwn i ddim yn gwbod dim oll am y lleill.

"Yr unig beth wn i am Memphis ydi bod Elvis Presley yn byw yno!"

"Yndi, yn Graceland.'Dan ni 'di bod yno lawar gwaith hefo *Daddy*. Mi fuo fo'n canu yn Calico's unwaith. Ma' Dad yn 'i nabod o. Ti'n lecio Elvis, 'lly?"

"Gin i un neu ddwy o'i recordia fo."

Wedyn ei thro hi oedd holi. Doedd hi erioed wedi clywad am Gymru.

"Ond ti wedi bod yna," mi ddeudais wrthi.

"Naddo, 'rioed."

"Yng Nghymru 'nest ti 'nghwarfod i!"

"Cymru?"

"Ia! Sbia," a chan ddefnyddio 'nghyllall mi wnes siâp map yn y grefi oedd ar fy mhlât i. "Gin ti 'Werddon, wedyn môr, wedyn Cymru ac wedyn Lloegar. Cymru sydd rhwng Lloegar a'r môr."

"Fan'no ma'r hen le enw hir 'na?"

"Roedda chdi'n pasio drwyddo fo gynna!"

"Fedri di'i ddeud o?"

"Llanfair pwll gwyngyll…" dechreuais.

"*Kan-kah poo kinky!*" gwatwarodd, yna byrstiodd allan i chwerthin dros bob man. Dyna wnes inna hefyd.

"Be ti'n feddwl o'r bwyd?"

"Dydi stêcs Iwerddon ddim mor fawr â stêcs America!"

"Pwy sy'n siarad rŵan – Juliette, neu'r *hostess with the mostest*?"

"*Kan-kah poo kinky*!" a dechreuodd chwerthin eto.

Erbyn hyn roedd rhai o'r rhai oedd yn eistedd wrth ein hymyl wedi dechra syllu tuag aton ni, a dyma finna'n meddwl ella y basa'n beth da trio bod mwy o ddifri.

"Oes yna le bwyta yn Calico's?" holais.

"Oes siŵr! Gei di rwbath ti isho yn Calico's. Diod, bwyd, miwsig…" Gostyngodd ei hwynab at ei phlât ac edrych i fyny ata i cyn gweiddi, "A secs!" Bu'n rhuo chwerthin eto a finna i'w chanlyn.

Daeth un o'r weitars atom a gofyn a oedd popeth yn iawn. Doedd o ddim yn gas na dim, ond roeddwn i'n rhyw ddechra ama ein bod ni'n cadw gormod o reiat.

"Ble sy'n lle da am beint hwyr?" holais ef.

"Mulligan's, yn Poolbeg St," sibrydodd. "Deudwch 'ma Patrick o Wynn's yrrodd chi draw; gewch chi yfad tan berfeddion yno!"

"Be ddeudodd o?" holodd Juliette. Roedd hi wedi rhoi'r gora i'w bwyd ac wedi gwthio'i phlât o'i blaen.

"Sôn am le da i fynd am beint."

"Mwy o Guinness?"

"Pam lai!"

Wedi holi ymhellach, dyma ddallt fod Mulligan's o fewn cerddad i Wynn's. Wedi taflu goriad y stafall i'r bocs oedd yn y dderbynfa dyma gamu allan i'r nos. Clodd ei braich am fy mraich i, ac felly, fraich ym mraich y croesodd y ddau ohonon ni Bont O'Connell a throi i'r chwith tua Poolbeg St.

"Fuost ti yn Nulyn o'r blaen, Juliette?"

"Naddo, erioed."

"Na finna chwaith."

"Dwi wedi bod yn Galway droeon... un o fan'no oedd Taid. Gwreiddia'n bwysig i'n teulu ni."

"Ond Iances wyt ti?"

"Ma' Dad yn dal i ddeud ma' Gwyddel ydi o, ond *Memphis Belle* ydw i!"

Cerddad. Saib.

"Abby?"

"Ia?"

"Ydi Iancs a Chymry yn gymharus?"

Ac am yr eilwaith y noson honno roeddwn i mewn feis. Roedd ei gwefusa hi dros a than fy ngwefusa i a'i thafod fel neidar yn llyfu, ac yn anwesu fy ngwefusa, fy ngheg a 'nhafod. Mi fedrwn fod wedi aros yno yn pwyso ar wal ger y Liffey drwy'r nos. Roedd yna gynyrfiada yn digwydd mewn manna eraill hefyd, a doedd bosib nad oedd hitha'n ymwybodol o hynny.

Yr un mor sydyn ag y gafaelodd yno' fi, gollyngodd fi.

"Dyna ddigon am rŵan!" meddai. "Rhyw damad bach i aros pryd!" A chan binsio blaen fy nhrowsus nes oeddwn i'n plygu ac yn fy nybla, chwarddodd a dechra rhedag o 'mlaen i.

"Aros!" gwaeddais, gan redag ar ei hôl. "Dwyt ti ddim yn gwbod lle mae o!"

"Wêêê!" gwaeddodd wrth i ni basio caffi oedd yn llawn i'r ymylon. Roedd sŵn miwsig yn gwahodd.

"Dawns?" gofynnodd, gan foesymgrymu o 'mlaen i a gwyro hyd at y palmant. "Maen nhw'n chwara ein cân ni!"

"*Smooch!* Grêt!" sibrydais a gafael rownd hi. Un o ganeuon Cliff Richard oedd ar y jiwc-bocs.

When the girl in your arms is the girl in your heart
Then you've got everything.

Mi orffennodd yn rhy gynnar, ond nid yn rhy gynnar i gael clinsh arall.

"Ty'd, wir dduwcs, ne' welwn ni mo Mulligan's heno!"

Tafarn fechan, henffasiwn oedd Mulligans. Llathen o gowntar, rhes o bympia, rhes o boteli *shorts*, stolion rownd y bar a llwch lli ar lawr. A llond y lle o bobol swnllyd.

"Guinness ti isho?" gwaeddais yn ei chlust.

Rhoddodd ei cheg wrth fy nghlust i a chlywn ei thafod yn llyfu'n ôl ac ymlaen yn ysgafn ac yn boeth. Chwythodd i 'nghlust i'r gair, "Ia!" Gwenais arni, a throi at y bar i ordro. Doedd dim posib cael lle i eistedd, a bu'n rhaid i ni sefyll yno yn sipian ein peintia yn ara.

Ysgwyd ei phen ddaru hi pan wagiwyd y peintia a finna'n cynnig codi diod arall. Mi gymerodd hannar awr dda i ni gerddad yn ôl. Roedden ni'n aros bron pob cam ac yn cusanu'n hir ac yn braf.

"Chyrhaeddwn ni byth!" dechreuodd brotestio.

"Be am redag, 'ta?"

A rhedag ddaru ni yr hannar canllath ola. Wedi casglu'r goriad aethom i fyny at y stafall. Agorodd y drws, ac yn sydyn dyma hi'n fy ngwthio i allan o'r stafall a chau'r drws yn fy wynab. Sefais yno yn teimlo'n rêl llo pan agorodd y drws drachefn. Yng ngwaelod y drws, daeth pen melyn, gwên lydan a dannadd gwynion i'r golwg. Roedd hi ar ei phedwar ar lawr.

"Miaaaaw!" meddai, a chan chwerthin, cododd ar ei thraed, agor y drws led y pen, a deifio ar y gwely.

Fedrwn i 'neud un dim ond chwerthin. Doeddwn i 'rioed wedi nabod na gweld hogan debyg iddi o'r blaen. Ond dyna fo, doeddwn i ddim wedi nabod na gweld hogan o'r 'Merica o'r blaen. Caeais y drws a cherdded at y gwely.

"Dwi isho pishiad!" meddai'n sydyn.

"Ma'r bathrwm dau ddrws yn ôl," cychwynnais ddeud, ond cyn i mi orffan fy mrawddeg roedd Juliette wedi gollwng ei jîns a'i nicyr ac yn piso yn y sinc. Wnes i ddim ond syrthio ar y gwely yn chwerthin.

Wedi gorffan, mi giciodd ei dillad o'r neilltu a dod ata i. Mi sbiodd arna i am funud a thynnu'i thafod dros ei gwefusa. Yna estynnodd ei dwy law am waelod ei jympyr a'i thynnu dros ei phen. Hedodd fy meddwl inna'n ôl i'r den a Buddug Wyn yn codi ei jympyr ddu i ddangos ei bronna i mi. Un symudiad bach arall ac roedd ei bra hi i ffwrdd hefyd. Ddeudais i ddim byd, ond rhythu a stryffaglio yn fy chwant i dynnu fy nillad fy hun.

Mi ddisgynnodd ar fy mhen i fel roeddwn i'n trio tynnu 'nhrowsus. Doedd hi ddim yn brysio. Gafaelodd yn fy wynab a dechreuodd fy nghusanu'n ara bach. "Be 'di'r brys?" sibrydodd. Yr un mor ara fe dynnodd fy mhwlofyr a 'nghrys a dechra taflu cusana bychain ar hyd fy mrest. Weithia mi fydda'r gusan yn frathiad bach oedd yn gyrru iasa o blesar i lawr drwy fy nghorff i. "Waw!" meddai llais o waelod y gwely. Wnes i ddim ond gorfadd yn ôl, cau fy llygaid a mwynhau. Wn i ddim faint o gwsg gawson ni'r noson honno. Wn i ddim sawl gwaith y bu'r ddau ohonon ni'n ynghlwm yn ein gilydd mewn pob dull a siâp posib. Bob tro'r oeddwn i'n hepian, fe fyddwn yn troi at Juliette ac fe gychwynnai'r gwffas drachefn. Blinder a bodlonrwydd ddaeth â Huwcyn heibio yn y diwadd.

Dwi'n cofio gorfadd yno rhwng cwsg ac effro. Mi wyddwn ei bod yn fora oherwydd dôi llafn o ola i mewn drwy ganol y cyrtans. Cofio'r noson roeddwn i, ac ynghanol y cofio, mi gofiais am wely arall a rennais gydag Anti Mabel un pnawn. Yr un oedd y bodlonrwydd a'r un oedd y plesar, a'r un fath roeddwn inna'n teimlo rŵan.

Teimlo'n hapus, gynnas, fodlon braf. Wedi rhoi ac wedi derbyn. Torrodd llais ar draws fy meddylia.

"*Kan-kah poo kinky!*"

Roeddwn i wedi clywad y llais yna'n rhywla o'r blaen!

"*Kan-kah poo kinky!*" meddai drachefn.

Mi drois fy mhen ac edrych ar y gwallt melyn, y llygaid glas a'r dannadd gwynion. Roedd hi wedi lapio cynfas wen yn dynn amdani – hyd at ei gên.

"Llanfair Pwllgwyngyll ydi o!" cywirais.

"'Di blino?" gofynnodd.

"Dwi'n nacyrd!"

"Wyt ti isho brecwast?"

"Dim rŵan. Ella'n bod ni'n rhy hwyr beth bynnag!"

Sleifiodd ei llaw o dan y dillad. Caeais fy llygaid a sibrwd, "O na!"

"Na?"

"O ia! Ia, ia, ia!" a chipiais y gynfas oddi amdani a dechra ei boddi â chusana. "Ia! Ia! Ia!" gwaeddais. Ac ailddechreuwyd be gychwynnwyd yn oria mân y bora. Ychydig yn ddiweddarach roedden ni'n gorwedd yn un swp o chwys ar y gwely. Roedd Juliette ar ei chefn a finna wedi hannar troi ati ac yn rhedag fy mys yn ara bach i fyny ac i lawr ar hyd ei chorff.

"S'gin ti'm lot o flew, nagoes?"

"Dwi'n eu shefio nhw."

"Eu shefio nhw!"

"Ia, pam lai? Pam fod pob dyn yn gofyn hynna i mi?"

Bwriodd ei hatab fi'n stond. Fedrwn i ddeud dim am funud. Tybed deimlodd hi fy nistawrwydd?

"Be sy'n bod?" gofynnodd.

"Oes 'na lot o ddynion wedi gofyn i chdi?"

"Pob un dwi wedi bod hefo fo."

"Ti'n mynd hefo lot 'lly?"

"Be uffar 'di hyn? *Spanish Inquisition?*" Cododd ar ei heistedd yn sydyn a blin, nes oedd y bronna'n dawnsio. Mi rois inna 'mraich dros ei bronna hi a'i gwthio'n ôl ar y gwely.

"Sori, Juliette. Doeddwn i ddim yn trio busnesu. Mae Cymru flynyddoedd tu ôl i 'Merica!"

Estynnais fy ngheg at un o'i thethi a'i sugno. Fe'i clywn yn caledu. Symudais o'r naill i'r llall gan roi brathiad a chusan bob yn ail. Estynnodd hitha ei llaw a rhwbio fy wynab.

"Fel hogan o Memphis, faint o ganeuon Elvis wyt ti'n wbod?" gofynnais.

"Bron iawn pob un!"

"Go-iawn?"

"Tria fi."

"'Jailhouse Rock'?"

"Yn gynnar yn y *fifties* oedd honna! Tria un hwyrach – nes at ein hamsar ni."

"'Falling In Love'."

Mi gododd oddi ar y gwely ac aeth at y *dressing table*. Estynnodd y daliwr cannwyll, a'i ddefnyddio fel meic. Mi ges i sioc 'y mywyd. Roedd ganddi uffar o lais canu da. Roeddwn i'n gorfadd ar fy nghefn, mi ddaeth hitha ata i a chan osod ei chlunia bob ochr i 'nghanol i, mi eisteddodd arna i.

Wise men say only fools rush in
but I can't help falling in love with you.

Am un eiliad roeddwn i'n ôl adra eto yn cofio Buddug Wyn. Cofio'r siomiant y noson honno wrth i mi sgwennu geiria'r gân yn fy nghopi-bwc. Ond rŵan roedd yna rwbath rhyfadd yn digwydd i mi. Roedd y llais yma'n hudolus, ac roedd hi'n canu'r gân i mi. I mi! Doedd dim dwywaith am hynny, yn ôl ei hosgo hi a'i symudiada hi wrth ganu:

Shall I stay, or shall I go
but I can't help falling in love with you.

Ynghanol y gân mi symudodd fymryn wrth ganu ac yn sydyn roeddan ni'n dau yn un. Gollyngodd y daliwr cannwyll ac wrth i'w symudiada gyflymu daeth ei hwynab i lawr ar fy wynab inna. Cusanodd fy ngwefusa, fy mocha, fy nhalcan, fy arleisia yna sibrydodd yn fy nghlust:

"Rŵan! Rŵan! Tyrd!" a hannar canodd a hannar sibrydodd yn ffyrnig,

Take my hand, take my whole life too
For I can't help falling in love with you.

Fedrwn i ddim dal mwy a ffrwydrodd rhwbath yn ddwfn yno' fi. Gafaelais yn dynn ynddi a'i gwasgu â'm holl nerth. Roedd deugorff yn ysgwyd dan angerdd cyd-ollyngiad. Wedi ymryddhau rhoddais gusan hir iddi.

"Gin ti ddiawl o lais!"

"Geiria da oeddan nhw!"

"O ddifri, dim malu cachu."

"Dyna 'ngwaith i."

"Canu?"

"Ia."

"Roeddwn i'n meddwl..."

"Rhan o waith *hostess* ydi canu hefyd, o ce?" Fflachiodd y llygaid arna i, cystal â deud, "Cau dy geg!"

* * *

I lawr yn y bwyty, roedd Jake wrth y bwrdd brecwast a golwg y fall arno fo. Roedd o'n dal ei ben yn ei law, ac roedd ei ddwy lygad yn goch.

"Y Poteen gorffennodd fi!" ymddiheurodd.

"Ddyliat ti fod wedi rhannu!" cynigiodd ei chwaer.

"Dwi wedi ordro brecwast, ond wn i ddim fedra i fyta dim."

"Saim ydi'r peth gora gei di ar ôl cwrw. Setlo dy stumog," meddwn inna gan siarad fel doctor.

Cododd Jake yn sigledig ar ei draed. Edrychodd o'i amgylch fel anifail wedi'i gornelu, cododd ei law at ei geg a rhuthrodd am y drws. Chwerthin ddaru ni'n dau.

"Ti 'di ypsetio fo rŵan!"

"Wel, ma' saim yn gweithio'n iawn i mi!"

Dau blatiad gorlawn o frecwast Gwyddelig yn ddiweddarach, ac roedd y ddau ohonon ni'n dechra yfad coffi.

"Mae un banad yn ddigon i mi," meddwn, wrth weld Juliette yn ail ac yn trydydd lenwi ei chwpan.

"Yn y *States*, dydi galwyn ddim digon!"

Mi fûm yn edrych ac yn syllu yn hir arni, hitha arna inna a'r un ohonon ni'n deud gair, dim ond gwenu. 'Sgwn i be oedd yn mynd drwy'i meddwl hi wrth edrych arna i? Roeddwn i'n ceisio dychmygu oedd hi wedi bod yn hogan Ysgol Sul? Oedd hi wedi bod yn llunio brawddega hefo geiria fel 'tona' a 'thonna'? Oedd 'na ddibyn a rhedyn a gwair ar gae chwarae'i hysgol hi? Oedd hi wedi cael nêl-farnish yn bresant gan ryw hogyn?

Ddaeth Jake ddim yn ei ôl.

"Fel hyn mae o bob tro," meddai hitha. "Welwn ni mo'no fo rŵan yr ochor yma i amsar cinio."

"'Sa'n well i ni weld a ydi o'n iawn?"

"Ma' Jake yn hogyn mawr."

"Fasa'n well i ninna gael awr neu ddwy o gwsg?"

Ac yn ôl â ni i'r stafall wely. I gysgu.

Mi freuddwydiais am Anti Mabel.

Roedd hi'n freuddwyd hir, braf. Gyda'r haul yn sgleinio uwch ein penna, roedden ni'n cerdded yn noethlymun drwy gae mawr o wenith melyn uchal. Cerddad law yn llaw a'r poethder oddi uchod yn tywallt ar ein cyrff. Oedi ennyd i arogli natur. Teimlo'r gwenith cras yn cosi traed a chnawd wrth i ni gydorwedd. Yna, roeddwn i'n codi uwchlaw'r ddau gorff oedd yn ymgordeddu oddi tana i ar y môr melyn. Roeddwn i'n cael plesar o weld dau yn caru, ac roeddwn i'n cael plesar o fod ar y llawr yn un o'r ddau. Roedd y ddau bleser yn toddi'n un ac Anti Mabel weithia oddi tana i, weithia wedi troi ar fy mhen i, yn sibrwd yn dawal, yn ymatab yn ysgafn i gyffyrddiad, yn anwesu'n feddal, yn cusanu'n dynar, yn llyfu'n boeth… dau enaid yn llowcio'i gilydd.

Pan gododd y ddau ohonon ni, roeddan ni wedi ein gwisgo mewn dillada gwynion. Anti Mabel mewn ffrog laes a fêl gwyn yn cuddio'i hwynab. Finna mewn siwt fwnci, menig a het gorun uchal – y cyfan yn wyn. Roeddan ni'n cerddad drwy'r giât oedd yng nghornal y cae gwenith i gae arall. Cae gwyrdd oedd hwn yn arwain at fynwant ac eglwys gyda drws derw anfarth o dan ei thŵr.

Wrth i ni gerddad at yr eglwys, agorodd y drws a daeth tyrfa o bobol i'n cwarfod. Roeddan nhw i gyd yn eu dillad gora. Roedd Mam ac Yncl Sam yno. Roedd yr hogia i gyd yno, a dwy ferch fach yn sefyll a'u cefna aton ni mewn ffrogia glas fel awyr haf. Pan drodd y ddwy aton ni, roedd ganddyn nhw dusw o floda yn eu dwylo. Daeth y ddwy aton ni a bowio. Buddug Wyn oedd un a Juliette oedd y llall. Roeddan nhw fel dwy efaill. Roeddwn i'n cymysgu rhyngddyn nhw. Doeddwn i ddim wedi sylwi ar y tebygrwydd tan rŵan, a fedrwn i ddim deud p'run oedd p'run.

Dechreuodd cloch yr eglwys ganu, a daeth llais clir fel crisial o du mewn yr eglwys:

You by my side, that's how I see us,
Your folks and mine happy and smiling.

Stopiodd y gân yn sydyn. Edrychais arna fi fy hun: roeddwn i'n sefyll fel delw. Roeddwn i wedi fy rhewi a'r wên wedi diflannu oddi ar fy wynab. Roedd fy nillad i gyd yn wyn; rŵan roedd fy ngwallt yn wyn ac roedd fy wynab yn wyn. Doedd Anti Mabel ddim wrth fy ymyl mwyach. Roedd hi wedi cymryd y bloda oddi ar Buddug Wyn a Juliette, ac roedd hi'n cerddad i ganol y fynwant. Roedd hi'n mynd yn syth ac yn urddasol tuag at fedd agored.

"Anti Mabel!" gwaeddais. Ond gwaedd fud oedd hi. Ceisiais weiddi eto. Y tro yma, trodd ata i. Tynnodd y fêl oedd am ei phen. Roedd yna olwg dristach na thrist ar ei hwynab hi. Trodd at y bedd a thaflodd y bloda iddo. Yna dechreuodd fagio'n ei hôl. Roedd hi'n dychwelyd ata i wysg ei chefn nes oedd hi yn fy ymyl. Yna dechreuodd y ddau ohonon ni fagio'n ôl am y cae gwenith. Aeth pawb yn eu hola i'r eglwys a chaeodd y drws â chlep drom. Yn ôl â ni. Yn ôl i'r cae gwenith. Yn ôl i garu. Y tro hwn, wrth edrych ar y ddeugorff o'r awyr, pellhau wnawn i. Doedd y ddau yn y cae gwenith erbyn hyn yn ddim ond un smotyn du bychan mewn môr eang melyn.

"Abby!"

"Mmmmm?"

"Abby!"

Agorais fy llygaid. Roeddwn i'n chwys diferol a Juliette yn gafael yn dynn amdana i. Gwenais arni a gwenodd hitha'n ôl arna i. Estynnodd y lliain a dechreuodd sychu'r chwys oedd yn byrlymu i lawr fy nhalcan a 'mocha.

Edrychais arni'n hir. Roeddwn i'n teimlo fod rhaid i mi ddeud rhwbath wrthi. Pan orweddodd yn ôl yn fy ymyl, mi drois ati a rhoi llaw ar ei boch cyn ei chusanu'n ysgafn ar ei gwefusa. "Juliette, dwi'n dechra syrthio mewn cariad."

Ysgydwodd ei phen a daeth golwg ryfadd i'w hwynab. "Na, Abby! Paid!"

"Fedra i ddim peidio! Dwi isho bod hefo chdi drwy'r amsar."

"Abby! Plîs paid!" Cododd ar ei heistedd a throdd oddi wrtha i. Swingiodd ei thraed a'i choesa dros erchwyn y gwely nes oedd ei chefn ata i. Taniodd sigarét.

Saib.

Gallwn i ei chlywed yn sugno'r mwg yn ddwfn i'w hysgyfaint.

"Be sy'n bod?"

"Ti ddim yn fy nabod i! Ti ddim yn gwbod sut hogan ydw i!"

"Ti'n dlws... yn ifanc... yn llawn hwyl..."

"Plîs paid! Stopia hi, reit! Paid â difetha popeth!"

"Fedra i ddim stopio be dwi'n deimlo!"

"Dwi ddim yn lecio siarad am betha felly." Yna tynerodd rywfaint a throdd ata i gan wenu'n wan. "Gwirion a rhyfadd ydw i, 'ntê?"

"Oes gin ti gariad?" holais.

"*Steady*, ti'n feddwl?"

"Ia."

"Nagoes! Iâr fach yr haf ydw i! Be amdanat ti?

"Neb ar y funud."

Fel fflach mi ofynnodd, "Pwy 'di Mabel, 'ta?"

Rhaid 'mod i wedi gweiddi yn fy nghwsg. "Anti Mabel ti'n feddwl?"

"Roeddat ti'n breuddwydio amdani gynna fach, ac yn gweiddi arni."

Chwarddais, a deud yn fwy wrtha fi fy hun nag wrth Juliette: "Mi fasa ti'n lecio Anti Mabel! Hi ddysgodd i mi beth ydi teimlad. Sut i fynegi fy nheimlada. Hi ddysgodd bopeth i mi."

"Popeth?! Mi leciwn i ei chwarfod hi!" Roedd hi'n ôl yn chwareus eto.

"Oedd gin ti ddim Anti?"

"Roedd gin i lond bar o yncls." A daeth yr hen olwg bell yn ôl i gymylu'i gwedd.

"Be sy, Juliette?"

"Be ti'n feddwl?"

"Rwyt ti fel petait ti'n dal rhwbath yn ôl. Fel petait ti ofn deud rhywbath wrtha i."

Roedd hi'n siarad eto. "Jyst diolcha mai dy Anti Mabel ddysgodd chdi! Ar loria ac yn llofftydd Calico's y dysgis i be oedd be."

Am eiliad roeddwn i'n difaru i mi ei holi o gwbwl. Roeddwn i wedi tresmasu ar dir nad oedd hi'n dymuno'i droedio. Finna'n dychmygu rhesi o hen ddynion budron yn un rhes hir yn ei galw'n "Bitsh!" ac yn bob enw dan haul... Trywanodd ei sigarét yn yr *ashtray* a chododd ac aeth at y sinc. Rhedodd y dŵr a thaflodd beth ar ei hwynab. Daeth at y gwely i nôl y lliain. Sychodd ei hwynab. Edrychais arni'n sefyll yn fan'no'n noeth ger fy mron i. Iesu, roedd hi'n dlws.

"Juliette?"

Taflodd y lliain yn ôl ar y gwely, ac agorodd fymryn ar ei llygaid yn hytrach na gofyn "Be?"

Estynnais fy llaw. "Ty'd yma!"

Dychwelodd y wên a dychwelodd hitha i'r gwely.

* * *

Er bod cochni'n dal yn ei lygaid, roedd golwg well ar Jake erbyn amsar cinio.

Eisteddem wrth fwrdd caffi yn Stryd O'Connell.

"Coffi du! Dim arall!" meddai'n swta.

Mi gynigiais i dalu am y cinio a derbyniwyd fy ngwahoddiad. O'i gymharu â phris y gwesty roedd dau fîns ar dôst a thair panad o goffi yn rhesymol!

"Faint o'r gloch 'dan ni fod yn JayJay's?" holodd Juliette ei brawd.

"Chwech. Dechra am saith," meddai ynta. "Dwi am fynd yno i neud yn siŵr fod y piano'n iawn ddiwadd y pnawn."

Doedd gen i ddim syniad am be roeddan nhw'n sôn.

"Mae Abby am fynd â fi i Kilmainham," meddai Juliette.

Unwaith eto, doedd gen i ddim syniad am be roedd hi'n sôn.

Gwenu ddaru Jake. Rhyw wên fach oedd yn gymysgedd o anghredinedd oedd yn awgrymu'r geiria, "Paid â malu cachu!"

"'N twyt, Abby?"

"O, yndw!"

Roeddwn i'n synhwyro nad oedd petha'n rhy dda

rhwng y brawd a'r chwaer, ac mai act arwynebol oedd y cariad brawdol, oherwydd ar hannar yfad ei goffi mi gododd Jake a deud, "Cofia di fod yn JayJay's am chwech." Yna aeth allan.

Bu Juliette yn dawal am ennyd.

"Ble mae JayJay's?"

"Temple Bar... rhyw fath o glwb ydi o."

"'Dach chi'n canu yno?"

"Yndan, heno. Ac mewn clwb arall yn Galway nos fory."

A sylweddolais yn sydyn mai ychydig o amsar oedd gen i yn ei chwmni eto. Os nad awn i Galway, wrth reswm! Ond sut oeddwn i fod i awgrymu hynny wrthi hi? Hi siaradodd nesa ac roedd hi'n amlwg ei bod hi wedi penderfynu.

"Dim ond pnawn 'ma sydd gynnon ni ar ôl."

"A heno?" mentrais.

Gwenodd gan ychwanegu'n dawal, "A heno." Ond doedd yna ddim arddeliad yn ei llais o gwbwl. Roedd hi wedi gadael ei phryd ar ei hannar ac wedi dechra chwara hefo'r llwy oedd yn y bowlan siwgwr. Roedd hi'n gwneud patryma bychain. Codi'r siwgwr yn fynydd yna'i fflatio.

"Be wyt ti isho'i 'neud y pnawn 'ma?"

"Awn ni i gerddad am ryw awr? Wedyn..." fflachiodd y dannadd gwynion.

"'Nôl i'r gwesty?"

"Iawn!"

Chawson ni ddim cerddad am awr. Wedi dod o'r caffi a dechra cerddad law yn llaw ar ochr y Liffey daeth i fwrw glaw.

"Ma' Mulligan's rownd y gornal!" meddwn.

"Awn ni am y caffi!" atebodd hitha, a rhedag o 'mlaen i.

Roedd hwnnw yr un mor llawn â'r noson cynt. Prynais ddau Coke a mynd i sefyll wrth ei hymyl at y jiwc bocs. Roedd hi'n astudio'r gwahanol recordia oedd ynddo.

"S'gin ti syllta?"

"Digonadd." Twriais i 'mhocad ac estyn tri iddi.

"Cliff Richard?" holais.

"Joe Brown and the Bruvvers i ddechra!" atebodd hitha, gan wasgu'r swllt cynta i grombil y bocs.

Bu'n rhaid i ni aros i ddwy gân arall orffan chwara cyn i gân Joe Brown lenwi'r stafall:

*That yellow dress you wore, when we went dancing
    Sunday night,
That smile you gave me in the movies, when they
    dimmed the light
I tried in vain to get your memory from my brain
But that's so hard to do, and that's what love will do.*

Am ennyd roeddwn i'n ôl yng Nghymru bell. Yn fy ngwely'n breuddwydio am Buddug Wyn.

Yn ystod y gân fe afaelodd Juliette amdana i a rhoi'i phen ar fy ysgwydd. Ddeudodd hi ddim byd. Chododd hi mo'i phen, dim ond sefyll a 'ngwasgu'n galetach bob yn hyn a hyn. Wn i ddim pam, ond mi roedd sefyll yn fan'no hefo 'mraich amdani yn gyrru iasa drwy 'nghorff i. Roedd fel pe bai amsar ei hun yn sefyll yn stond. Fel yr eiliada tawal wedi caru'n wyllt. Doedd dim rhaid i'r un ohonon ni ddeud un gair. Roedd y gân yn deud y cyfan.

Buom yn gwrando ar ddwy gân arall a sefyll yn union yr un fath. Y ddau ohonon ni'n ddwfn yn ei feddylia ei hun.

*…when we danced I held her tight
Then I walked her home that night*

And all the stars were shining bright
And then I kissed her.

Fel hyn yr oeddwn i wedi dychmygu y byddwn i a Buddug Wyn weddill ein hoes. Ond roeddwn i'n gwbod fod fy amsar i a Juliette yng nghwmni'n gilydd yn prysur dynnu tua'i derfyn. Roedd hi'n gafael mor dynn yno' fi. Roedd gen i'r teimlad ei bod yn crio, ond doeddwn i ddim isho symud gewyn nac asgwrn rhag ofn i mi darfu ar hud yr eiliad.

When I'm feeling blue all I have to do
Is take a look at you then I'm not so blue,
When you're close to me I can feel your heartbeat
I can hear you breathing in my hair.

Rhaid bod hannar awr wedi diflannu i rywla. Yn sydyn roedd y jiwc-bocs yn sgrechian roc-a-rôl eto, a'r caneuon distaw wedi mynd i rywla i ganlyn ein meddylia. Juliette siaradodd gynta.

"Kilmainham!"

Ac yna cofiais ble clywais i'r enw o'r blaen. Onid oedd Abram Ifans ac Owan Bach wedi bod yn sôn wrtha i amdano? Hwn oedd y carchar lle saethwyd y dyn hwnnw yn ei gadair.

Nid yr un Juliette oedd yn gafael yn fy mraich am yr awr nesa wrth i ni gael ein tywys o amgylch y carchar. Gan ein bod yn rhan o grŵp gâi ei arwain, roeddwn i wedi ceisio hofran ar y cyrion heb ddangos fawr o ddiddordab yn y llanc hirwallt a'n tywysai ac a siaradai fel melin wynt. Ond er i ni gael sawl clinsh mewn cornal dywyll, mynnai Juliette ddychwelyd at y grŵp a gwrando ar y tywysydd.

"Mae'n bwysig i mi, Abby. Gwranda, ac ella y dysgi di rwbath!"

Ac mi fûm innau'n ddwfn yn fy meddylia weddill yr amsar yn Kilmainham. Meddwl am Abram Ifans ac Owan Bach yn gwbod yr hanas. Finna heb ddim diddordab. Mi fedrwn i feddwl am well ffordd i dreulio awr yn Nulyn, ond diodda'n dawal wnes i. A gwrando ar Juliette yn egluro hanas tras ei thad.

Wrth i ddôr bren Kilmainham gau ar ein hola fe ddeudodd Juliette, "Be am fynd yn ôl i'r gwesty?"

Dyna oedd ar fy meddwl inna hefyd, ac yn ôl yr aethon ni. Cerddad yn ara yn gafael yn dynn am ein gilydd, a'r un ohonon ni'n siŵr be i'w ddeud na sut i'w ddeud o. Ond wedi cyrraedd 'nôl i Wynn's, mi wn i un peth. Roedd y ddwy awr nesa y rhai mwya pleserus i mi eu treulio erioed. Go brin y ca i'r un profiada na'r un teimlada fyth eto.

Fel pe baen ni'n synhwyro fod ein hamsar yn dirwyn tua'r terfyn, roedd yna angerdd yn ein caru. Angerdd na theimlais i na chynt na chwedyn. Yn ein blys am gyrff ein gilydd, chwant ac nid tynerwch oedd yn teyrnasu – ac eto, yn y munuda dieiria wedi'r caru gwyllt, roedd yna rwbath yn dal i'n clymu yn y tawelwch braf.

Mi dreuliom funuda cyfain yn edrych yn ddwfn i lygaid ein gilydd. Finna'n ceisio dychmygu beth oedd tu hwnt i'r glesni. Pa feddylia oedd yn gwibio drwy'u dyfnderoedd?

Mi fentrais ddeud unwaith, "Juliette, dwi'n dy garu di". Estynnodd ei bys a'i roi ar fy ngwefus fel petai am fy rhwystro rhag deud y geiria. "Finna chditha," sibrydodd, a chan dynnu'i bys rhoddodd gusan hir i mi ar fy ngwefusa.

Am hannar awr wedi pump roedd hi'n amsar 'stwyrian. Mewn tawelwch y gwisgodd y ddau ohonon ni. Roedd hi'n cario'i chês pan adawsom y stafall.

"Ma' gin i ddillad sbeshal yn hwn ar gyfer y sioe," eglurodd.

"Aros funud!" deudodd wrth i ni gyrraedd y dderbynfa. "Dwi wedi anghofio rhwbath!" A rhedodd yn ei hôl i'r stafall.

Feddyliais i ddim mwy am y peth.

Yn y tacsi ar y ffordd i JayJay's mi ddeudodd, "Ti'n dallt na fedra i ddim ista hefo chdi – mi fydda i hefo Jake yng nghefn y llwyfan."

Wedi i'r tacsi ein gadael, mi godais ei chês i'w gario. Fe'i cymerodd oddi arna i. "Mi a' i'n syth i'r cefn," meddai, gan daro cusan ysgafn i mi ar fy moch. Yna, roedd hi wedi mynd.

* * *

Roedd y gynulleidfa'n cymeradwyo'n frwd, ond doedd neb yn fwy brwd na mi. Pan ostegodd y sŵn dechreuodd Juliette gyflwyno'r gân ola.

"Cyn i mi ganu'r gân yma, fe wn i am o leia un sydd yma heno, sy'n cario pwysa'r byd ar ei ysgwydda!" Roedd hi'n edrych yn syth tuag ata i a gwên fach ar 'i hwynab. "Wel, ma' gin i neges iddo fo!"

Amneidiodd ar Jake i ddechra cyfeilio, ac yna dechreuodd ganu un o ganeuon Roy Orbison:

If heartaches brought fame in love's crazy game
I'd be a legend in my time.
If they gave gold statuettes for tears and regrets
I'd be a legend in my time.

Fe graciodd ei llais wrth ganu hynna, a throdd am eiliad oddi wrth y gynulleidfa. Daeth lwmp i 'ngwddw inna. Gwnaeth Juliette arwydd ar Jake i ddal ati i gyfeilio, a dechreuodd bysadd hwnnw ddawnsio ar y piano. Pan drodd Juliette yn ôl at y gynulleidfa, roeddwn i'n ama fod yna ddagra yn ei llygaid. Drwy'r amsar edrychwn yn syth ati, fy llygaid wedi'u hoelio ar ei llygaid gloywon hi. O'r diwadd trodd at Jake unwaith eto a nodio. Ailgychwynnodd ganu. Roedd y gynulleidfa ar ei thraed a fedrwn inna wneud dim yn wahanol. Wedi bowio deirgwaith diflannodd Juliette i'r cefn, a dilynwyd hi gan Jake. Er i'r cymeradwyo a'r chwibanu barhau am rai munuda, ddaeth hi ddim yn ôl i'r llwyfan.

Aeth deng munud heibio. Distawodd y sŵn a'r gweiddi'n raddol a daeth grŵp Gwyddelig i'r llwyfan. Ymhen dim, roedd y gynulleidfa wedi anghofio am Juliette ac yn curo'u dwylo a stampio'u traed i gyfeiliant y grŵp. Edrychais eto ar fy watsh a gweld fod chwartar awr dda wedi mynd heibio a dim golwg o Juliette na Jake. Yn llawn chwilfrydedd codais a symud tua chefn y llwyfan. Es trwy ddrws oedd yn ymyl y cyrtans melfad a ffendio fy hun mewn coridor hir lled dywyll. Roedd nifer o ddrysa'n arwain i wahanol stafelloedd yno. Ar yr ail, wedi'u sgwennu mewn sialc, roedd enwau Juliette a Jake. Curais ar y drws. Dim atab.

Curais drachefn, a daeth Jake i'w agor. Edrychai fel pe bai ar frys, ac fel petai'n rhyfeddu fy ngweld i'n sefyll yno.

"Ydi Juliette yma?" gofynnais gan geisio gweld heibio iddo.

Agorodd y drws led y pen, a gwelais nad oedd neb yno. Stafall foel oedd hi gydag un bwrdd a drych a chwpwrdd agored i hongian dillad. Ar lawr wrth ei draed, roedd bag Jake.

"Mae Juliette wedi mynd," atebodd gan droi a chodi'i fag. "A dwi inna'n mynd rŵan hefyd."

"'Nôl i'r gwesty ti'n feddwl?"

"Nage. Mynd. Gadael."

"Dwi'm yn dallt."

"Jyst anghofia hi, Abby!"

"Be?"

"Jyst anghofia hi, reit!" medda fo'n reit chwyrn.

"Be ti'n feddwl? Arglwy', 'dan ni'n lecio cwmni'n gilydd! Be 'di dy broblam di?" Yna codais fy llais, "Ble ma' hi?"

Roedd ei ymatab yn gwbwl annisgwyl. Diflannodd pob arlliw o wên oddi ar ei wynab, a daeth hannar ysgyrnygiad i'w geg. Gafaelodd yn llabedi fy nghôt a 'nhaflu yn erbyn y drws.

"Dwyt ti'n cyfri dim iddi hi, iawn? A dydi hitha'n cyfri dim i titha! Dallt? Mae hi wedi mynd i ddal y trên i Galway lle byddwn ni'n perfformio nos fory."

"Chdi sy ddim yn dallt!" Ceisiais egluro iddo eto, ond tynhaodd ei afael. "Dwi'n dallt yn iawn, mêt! Fi fuodd rhaid dallt pan ddigwyddodd hyn hefo'r boi yn Llundain, wedyn y boi yn Birmingham… a rŵan chdi yn fa'ma! A fi fydd yn gorfod dallt eto nos fory yn Galway!"

"Os na gollyngi di fi…" Ceisiais ymryddhau.

"Yli, dwi ddim isho dy frifo di, ond cred ti fi, dwi wedi dysgu trin morwyr New Orleans a'r Mississippi sy'n galw am eu tamad yn Calico's – a siŵr i chdi o dy gymharu di â'r rheini, tydi pidling o Gymro hefo mysls pwdin reis ddim yn mynd i fod yn fawr o draffarth i mi!"

"Ga i jyst siarad hefo hi?" plediais.

"Na chei! Gad iddi! 'Dach chi'ch dau wedi cael amsar da, gad hi ar hynna."

"Ond roedd o'n fwy na hynny!"

"Ffyc mi!" Gollyngodd ei afael arna i. "Yli! Dwi'n mynd rŵan, a dydw i ddim isho gweld y drws yma'n cael ei agor am bum munud! Dallt?"

Cododd ei fag ac agorodd y drws.

"Ma' hi allan yn fan'na, 'ntydi?"

Daliodd ei ddwrn o dan fy nhrwyn. "Paid mentro dy lwc, Abby." Aeth allan.

"Jake! Plîs? Rhaid i mi gael ffarwelio â hi!"

"Gad hi!"

Camodd allan i'r coridor a chau'r drws ar ei ôl. Arhosais yno am funud yn ceisio dallt a cheisio gwneud synnwyr o'r hyn glywais i. Doedd o ddim yn gwneud synnwyr o gwbwl. Dyna pam yr agorais y drws yn sydyn a rhuthro i lawr y coridor. "Juliette!" gwaeddais ei henw, "Juliette!" Gwelais ddrws caeedig ac EXIT wedi ei lythrennu'n fawr arno. Hyrddiais fy hun yn ei erbyn. Agorodd ar ei union nes oeddwn i allan yn y stryd. Gwelwn dacsi o 'mlaen i, a Jake yn llwytho'i fag i'r bŵt. Trodd pan glywodd glec y drws yn agor. Edrychodd unwaith i 'nghyfeiriad, a rhuthrodd tuag ata fi. "Rhaid i mi..." dyna'r unig eiria ddaeth dros fy ngwefusa cyn iddo daflu dwrn a 'nharo i'n sgwâr yn fy ngheg. Es lawr wysg fy nghefn fel sachaid o datws.

Codais gan geisio ysgwyd y niwl o fy llygaid. "Juliette!" roeddwn i'n geisio'i weiddi wrth weld Jake yn brasgamu yn ei ôl at y tacsi, camu iddo a rhoi clep ar y drws. Erbyn i mi rhyw how-godi gwelwn y tacsi'n dechra symud. Gwelais wynab gwelw yn edrych o'r ffenast gefn cyn i mi ddisgyn ar fy nglinia. Dyna pryd y sylweddolais i fod yna ffrwd gynnas o waed yn llifo o 'ngheg i.

Diflannodd y tacsi rownd y gornal. Rhois fy mhen yn fy nwylo a gwyro at y llawr mewn anobaith llwyr. Daeth lleisia a dwylo tyner i 'nghodi.

"Ti'n iawn, mêt?"

"Pwy oedd o?"

"Wnaeth o ddwyn rwbath?"

Ges i help i fynd yn ôl i'r clwb, a golchwyd fy nghlwyfa. Roedd un dant yn rhydd, a 'ngwefus ucha wedi'i hollti. Wrth ddod ata fy hun, fy mwriad cynta oedd rhuthro i geisio dal y trên i Galway. Ond wedyn be? Ella'r eiliad hon bod Juliette a Jake yn sgwrsio â theithiwr arall. Yn gwneud ffrindia hefo rhyw fasdad lwcus oedd ar ei ffordd i Galway.

Ar y wal wrth fy ymyl roedd poster yn hysbysebu'r noson: *'JayJay's proudly present Juliette & Jake O'Sullivan.'* Tynnais o i lawr yn ofalus. Mi gawn i swfenîr o leia!

Mi ges dacsi yn ôl i Wynn's. Roedd y ferch wrth y dderbynfa yn fawr ei chonsýrn pan welodd fy wynab.

"'Dach chi'n iawn?"

"Yndw… rhyw draffarth tu allan i dafarn."

"Ga i alw doctor?"

"Na! Na. Faint sydd 'na i'w dalu am stafall 43?"

Edrychodd ar y llyfr. "Mae Mr Sullivan, ystafell 37, wedi talu popeth, a thalu i chi am bum diwrnod eto."

"Be?"

"Mi ddeudodd Miss Sullivan eich bod chi'n aros pum noson arall."

Os oeddwn i wedi drysu ac yn methu dallt petha cyn cyrraedd 'nôl i Wynn's, roeddwn i mewn niwl trwchus rŵan. Mynd i orwedd fydda ora. "Ga i'r goriad i 43, plîs?"

Y peth cynta welais i ar y *dressing table*, yn pwyso ar un o'r canwyllbrenna, oedd amlen a fy enw i arni. Neidiais ati a'i rhwygo ar agor. Darllenais:

Annwyl Abby,
Un wael fues i erioed am ddeud ffarwél. Biti na faset
ti'n nes at Memphis, mae gan Elvis nifer o ganeuon da!

Cariad mawr. Juliette. XXX

Wela i di cyn bo hir.

Mi fûm yn pendroni'n hir uwchben *y 'Wela i di cyn bo hir'*. Oedd yna awgrym ei bod hi'n dod 'nôl? Ai dyna pam y talwyd ymlaen llaw am bum niwrnod? Doedd o ddim yn gwneud math o synnwyr. Gorweddais ar y gwely gan geisio meddwl beth oedd ora i'w 'neud. Oeddwn i'n mynd i aros yma? Yna, roedd dagra a chofio Juliette yn llosgi fy llygaid eto. Roedd Juliette y tacsi mor ddiarth! Oeddwn i'n clywad fy hun yn canu?

Oh! such a stranger, you don't even know me,
It's just as though we never even met;
Oh! such a stranger you don't even see me
Tell me, was I that easy to forget.

Roedd Juliette wedi fy nhwyllo i. Roedd yr hyn ddeudodd Jake wedi brifo hefyd. Roedd o wedi rhoi'r argraff mai rhyw fath o hwran oedd hi. Eto, roedd yn anodd gen i dderbyn hynna. Ella mai fi oedd yn naïf? Doeddwn i ddim yn teimlo fel boi wedi cael ei ddefnyddio, a doeddwn i ddim wedi talu bron ddim – yn wir, wedi cymryd pris y gwesty i ystyriaeth, nhw oedd ar eu colled!

Ynghanol y gymysgfa yma o feddylia, mi es i gysgu. Cysgu'n drwm, os yn anesmwyth, tan y bora. Rywbryd yn ystod y nos roeddwn i wedi codi i roi cadach gwlyb, oer ar fy ngheg. Doedd gen i ddim syniad sawl gwaith y lled-ddeffrais gyda churo cyson yn pwyo fy mhen. Wn i ddim chwaith sawl gwaith y gwaeddais enw "Juliette!"

yn fy nghwsg.

Wedi deffro a chodi ganol y bora drannoeth, roedd fy ngheg wedi chwyddo fel pêl. Roedd fy llygaid wedi chwyddo hefyd, ac roeddan nhw'n goch. Es allan yn y pnawn a chrwydro'n ddiamcan ar hyd strydoedd Dulyn cyn dychwelyd eto a chael noson arall ddi-gwsg.

Pan godais y bora wedyn roedd yna bwrpas ac amcan i'r diwrnod. Fe ddychwelais i Kilmainham a'r cof am Iances yn dysgu hanas Iwerddon i Gymro yn dal yn fyw yn fy nghof. Fy unig fwriad yn mynd yno oedd ailgerddad y llwybra a gerddais rai dyddia ynghynt, ond am hannar awr fe aeth hyd yn oed Juliette yn angof. 'Siobhan' oedd yr enw oedd ar fathodyn yr hogan ifanc oedd yn tywys rhyw bymthag ohonan ni o gwmpas y cyn-garchar. Finna'n gwenu wrth sylwi ar yr hannar dwsin o hogia oedd yn y pen blaen. Cofio Idwal Wyn, Owan Bach a finna'n mynd hefo tripia'r ysgol pan oeddan ni'r un oed â'r rhein. Pum munud arall ac mi fyddan nhw'n cadw reiat fel oeddan ni erstalwm – dyna aeth drwy fy meddwl. Ond cael fy siomi wnes i. Syllai'r hogia'n gegrwth wrth i Siobhan adrodd yr hanas, a gwrandawent yn astud ar bob gair. A fan'no roeddwn inna, yn dysgu am hanas Iwerddon, a gwbod dim am hanas Cymru. Ymhen blynyddoedd, fasa'r hogia yma i gyd fel Abram Ifans ac Owan Bach? Ac mi ddaeth llais Juliette i 'mhen i eto:

"Diolch i Dduw nad ydw i'n Wyddeles ne' mi fyddwn i wedi darn-ladd pob ffycin Sais!" Geiria ddoe yn dychwelyd, a'r hogia a Siobhan a Kilmainham yn gymysg ag atgofion o Juliette unwaith eto.

"Yn y gell hon y priodwyd Joseph Plunkett, ddeng munud cyn iddo gael ei saethu'n farw gan y Saeson..."

Ger y gell hon y tynnodd Abi Thomas ei gariad o olwg

y dyrfa a'i chusanu'n hir ac yn felys...

"...roedd James Connolly wedi'i glwyfo mor ddrwg fel na fedrai sefyll. Fe'i clymwyd i gadair – y gadair hon – a saethwyd ef ar doriad gwawr..."

...ac yn Nulyn, yn glaf o serch, bu Abi Thomas yn caru hyd doriad gwawr...

"...ac mewn naw niwrnod arswydus, fe ddienyddiwyd pymtheg yn greulon a didostur, am garu'u gwlad."

...ac wedi cwta ddeuddydd o wynfyd pur, fe'i gadawyd yn greulon a didostur... a digariad...

Ac wrth weld dagra'r dicter yn cronni yn llygaid yr hogia, fedrwn i ddim peidio meddwl am Abram Ifans ac Owan Bach. Ond dagra am Juliette oedd yn fy llygaid i. Gadewais Kilmainham a mynd eto i Shanky's.

Wedi treulio pedwar diwrnod yn Nulyn ar fy mhen fy hun, dim ond un gân oedd yn chwyrlïo rownd a rownd yn fy mhen i. Roeddwn i'n dychwelyd i Shanky's hyd at deirgwaith a phedair gwaith y dydd, ordro coffi ac eistedd yn y gornal yn bwydo'r jiwc-bocs hefo syllta. Wedyn mi fyddwn i'n disgwyl a gwrando ar noda cynta'r gitâr flaen grynedig, cyn i leisia meddal y Four Pennies ddeud y cyfan ar fy rhan. Mi fydda fy meddwl wedi'i hoelio ar un wynab angal, un pâr o lygaid yn llawn chwerthin, un llanast o wallt melyn, un geg, a gwefusa trydanol eu cyffyrddiad.

There was a love I knew before she broke my heart, left me unsure – Juliette.

Ac wrth feddwl yn ôl am ein gwahanu, ni fedrwn i yn fy myw ddwyn fy hun i yngan y gair "Bitsh!"

Pennod 6

Ystafall hon yw fy myd bellach. Yma y bydda i'n gwneud popeth. Yma mae popeth o bwys yn digwydd i mi. Yma mae popeth o bwys sy'n perthyn i mi, ac yma, yn y stafall hon, y bydda i'n byw'r presennol ac yn ail-fyw'r gorffennol.

Mae yna gynhesrwydd yn perthyn iddi. Dwi'n teimlo fel plentyn bach wedi'i lapio'n dynn yn 'i wely ar noson erwin o aeaf. Rydw i'n falch fod gen i Dr Jackson a Dr Smallfoot yn gefn i mi.

Oherwydd Dr Jackson, mae Dad yn dod i 'ngweld i bob dydd. Y fo ydi Dad. Nid go-iawn, dwi'n gwbod hynny, ond fo ydi o hefyd. Mae o mor garedig wrtha i. A tydi o ddim isho darllan y ffeilia. Tydi o ddim yn cael gwneud hynny i ddeud y gwir. Gwaith Dr Smallfoot ydi hynny. A hefo Dr Smallfoot y bydda i'n trafod eu cynnwys.

A'r hyn sy'n grêt ydi fod Anti Mabel a Buddug Wyn a Juliette yma hefyd. Yma hefo fi! Maen nhw'n byw yn y caneuon. Yn y caneuon maen nhw'n dod yn fyw. Maen nhw hefyd yn y ffeilia. A phan fydda i'n trafod y ffeilia hefo Dr Smallfoot mae popeth yn dod yn fyw. Mae popeth mor real.

Be ddeudi di'r llygodan fach? Be ddeudi ditha'r peiriant cryno-ddisgia? Clic-clic, medda'r llygodan ac mae'r ddisgen yn chwyrlïo a'r gola gwyrdd yn tywynnu. Clic, medda botwm y peiriant cryno-ddisgia, ac ma'r gola bach coch yn wincio.

Wrth i fonitor y cyfrifiadur dywyllu cyn galw'r geiria i gof, mae llais Huw Chiswell yn llenwi'r stafall...

Tynna'r garthen dros dy gorff, yn gynnes at dy ên;
Bydd yn esmwyth yn dy gwsg, breuddwydia gyda
gwên;
Ond yn fwy na hyn, paid â bod yn syn,
Os na chei di'r hyn a fynni bob dydd gwyn.
O, mae dyddie felly'n ddyddie digon prin...

A digon prin fuo 'nyddia gwyn inna, ond fe ges i amball
un. A thrwy'r dyddia gwyn y des i sylweddoli pwy ydw i go-
iawn a be ydw i go-iawn. Mae bywyd go-iawn yn union fel
bywyd y lle yma. Mae 'na ffinia. Llinella a chanllawia i
gadw'r ochor galeta iddyn nhw. Ac yn union fel y llwydda
amball un i groesi'r ffin a neidio'r canllaw ar brydia, felly y
dysgais inna fodoli yn fa'ma. Dwi'n dallt ac yn derbyn pwy
ydw i a pham yr ydw i yma. A dwi'n dallt hefyd beth sydd
raid i mi'i wneud i wthio'r ffinia. Heb wthio ma' bywyd yn
ddiflas, yn un ruban hir, di-liw.

Dere'n agos ata i'n awr, dal fi eto'n gryf.
Clywaf wres y galon sy'n curo ynot ti.
Dwi ar goll fan hyn, yn teimlo'n is na dim...
Ond rhyngdda chi a fi, dydw i ddim go-iawn...

Pan glywais i, roedd o'n union fel petawn i wedi cael swadan ar fy nhalcan hefo mwrthwl lwmp.

Rhaid bod Yncl Sam wedi bod yn fy nisgwyl i adra, oherwydd y munud y dois i olwg y tŷ roedd o'n rhedag allan i 'nghwarfod i. Mi wyddwn ar ei wynab o fod yna rwbath mawr wedi digwydd. Ond mi fynnodd 'mod i'n mynd i mewn i'r tŷ cyn iddo fo ddeud dim.

"Anti Mabel!" medda fo, wedi fy rhoi i eistedd. "Ma' gin i newyddion drwg iawn i chdi."

Mi adawodd i hynna dreiddio cyn deud yn dawal, "Ma' hi 'di marw, cofia."

Mi edrychais i ar Yncl Sam fel petai cyrn yn tyfu o'i ben o. Roedd y dagra'n llenwi'i lygaid.

"Be?" medda fi. "Anti Mabel wedi marw?"

Roedd Mam yn eistedd yn gongol y gegin yn crio. Wedyn y dalltis i nad colli dagra dros Anti Mabel roedd hi, ac roedd hynny'n sioc arall. Roedd Anti Mabel wedi marw mewn ysbyty yn Llundain wrth iddi roi genedigaeth i hogyn bach.

Yn y munuda yna, pan dorrwyd y newyddion i mi, fe ddaeth hunlle marw Dad yn ôl yn fyw i mi, ac am oria fedrwn i wneud na deud dim ond crio a nadu fel hogyn bach ar fy ngwely yn y llofft. Rhywsut roedd hi'n briodol mai yn ôl yno roeddwn i wedi rhedag ar ôl clywad, oherwydd yno y daeth pob peth yn ôl i mi. Am mai yno, yn y stafall honno, y bûm i'n hel meddylia ac yn cofio cymaint ar hyd yr holl fisoedd a blynyddoedd.

Dwi'n cofio troi nobyn y weirles a thrio gwrando am ganeuon oedd yn golygu rhwbath i mi, ond wrth drio canolbwyntio ar y caneuon, mi fydda fy meddwl o hyd yn mynd yn ôl at y ffaith fod Anti Mabel wedi marw.

Mi fûm i'n sbiad arna fi fy hun yn y drych yn y stafall molchi. Y dagra'n llifo i lawr o fy llygaid i a finna'n deud wrtha fi fy hun, "Marw. Marw. Mae Anti Mabel wedi marw." Yr un drych a'r un wynab a'r un gwefusa oedd wedi deud "Buddug Wyn" flynyddoedd ynghynt.

Roedd fy ngwefusa i'n deud y geiria ond doeddan nhw ddim yn cysylltu â fy meddwl i. Fedra hyn ddim bod yn iawn. Fedra hi ddim fod wedi marw. Wedyn y sylwedd-olais i beth arall ddeudodd Yncl Sam. Ei bod hi wedi marw wrth roi genedigaeth i blentyn. Ac wrth bendroni dros hynny y trawodd o fi. Doedd dim isho sgolar i gyfri'r misoedd. Fi oedd y tad! Ond pam na fasa hi wedi deud wrtha i?

Yna, roedd y darna'n dechra disgyn i'w lle. Dyna'r eglurhad am ei hymddygiad od hi. Ond pam na fasa hi wedi deud wrtha i? Pam ddiawl, pam uffar, pam na fasa hi wedi deud wrtha i? Wrtha i o bawb?!

Yn fy rhwystredigaeth, dwi'n cofio waldio'r gobennydd hefo 'nyrna, ond doedd hynna ddim yn brifo digon, a dyna pryd y dechreuais i waldio'r wal. Waldio nes dechreuodd croen fy migyrna i rwygo a'r gwaed ddechra llifo. A dyna pryd y daeth Yncl Sam i mewn ata i.

Dwi'm yn cofio fawr ddim wedyn, dim ond troi 'nyrna ar Yncl Sam. Dwi'n cofio'i glywad o'n gweiddi "Meri! Meri!" Dwi'n cofio cael rhyw foddhad wrth deimlo 'nwrn yn taro esgyrn a chnawd. Dwi'n cofio gorfadd ar y gwely ac Yncl Sam yn eistedd ar fy mhen i ac yn dal fy nwylo i.

Dwi'n cofio gweld Dr Darren yno. Dwi'n cofio cael pigiad. Dwi'n cofio cysgu, a dwi'n cofio'r hunllefa.

Dwi'n cofio deffro'n wan i gyd. Doedd gen i ddim nerth. Dwi'n cofio cofio. Dwi'n cofio crio. Dwi'n cofio cysgu. Dwi'n cofio deffro. Crio, deffro, cysgu, deffro, cysgu, crio, crio a chrio. A doedd Mam ddim yno.

"Sioc ydi o," medda llais Dr Darren.

"Am faint fydd o fel hyn?" medda llais Yncl Sam.

"'Chydig ddyddia," medda llais Dr Darren.

Dim llais Mam o gwbwl. Dwi'n cofio meddwl, "Dydi Mam ddim yma!"

Dwi'n cofio deffro wedyn ac Yncl Sam yn eistedd ar erchwyn y gwely yn rhoid cadach gwlyb ar fy nhalcan i.

"Ble mae Mam?"

"Lawr grisia."

"Pam na ddaw hi i fyny?"

Saib.

"Ma' dy fam, fel titha, yn mynd trwy uffarn, Abi bach."

Dyna pryd y dechreuodd y teimlada o euogrwydd lenwi 'mhen i. Y fi oedd yn gyfrifol am hyn i gyd. Y fi, Abednego Thomas, oedd yn gyfrifol am farwolaeth Anti Mabel. Dyna'r cwbwl oedd yn fy mhen i. Ond roeddwn i'n rhy wan i feddwl. Roeddwn i'n rhy wan i godi. Rhy wan i wneud dim ond cysgu. Felly mi es i gysgu a breuddwydio am Buddug Wyn. Dwi'n cofio meddwl, "Dim ond Buddug Wyn sydd ar ôl. Mi freuddwydia i am Buddug Wyn."

Rhaid ei bod yn nosi, oherwydd, er bod y cyrtans wedi'u tynnu'n groes, roedd 'na dwllwch tu hwnt iddyn nhw.

"Ti'n teimlo'n well?" Llais Yncl Sam.

Dwi'n cofio edrych o 'nghwmpas. Cofio ble'r oeddwn i, a pham. Ond roedd hynny'n swnio'n bell yn ôl erbyn hyn.

"Ydi Buddug Wyn wedi mynd?"

"Buddug Wyn?"

Rhaid 'mod i'n drysu. Yna cofiais y freuddwyd. Caeais fy llygaid, yna'u hailagor.

"Faint o'r gloch ydi hi?"

"Saith neu wyth."

Sylweddoli rhwbath arall.

"Pa ddiwrnod?"

"Dydd Sadwrn."

Tridia! Roeddwn i wedi bod yn fy ngwely am dridia!

"Mae James Jenkins y twrna wedi bod yma isho dy weld di."

"Isho 'ngweld i?"

"Dyna ddeudodd o."

Roedd 'na rywfaint o fin ar lais Yncl Sam pan ddeudodd o hynny. Faint oedd o'n wbod, tybad?

"'Nath o ddim deud?"

"Dy fusnas di ydi hynny," medda fo.

Yn sydyn roedd gen i ofn. Roedd Jenkins isho 'ngweld i ynghylch marwolaeth Anti Mabel. Roedd fy nghalon i'n rasio'n wyllt. Roedd Yncl Sam yn aros yno. Aros fel petai o'n disgwyl i mi ddeud rhwbath. Be fedrwn i ei ddeud?

"Ble mae Mam?"

"I lawr grisia."

"Pam na ddaw hi i fyny?"

Ysgydwodd ei ben.

"Ddaw hi ddim, Abi. Mae hi'n ama petha mawr, ac mae'r ffaith fod Jenkins wedi bod yma yn gneud iddi hi ama fwy."

Roedd o'n trio 'ngorfodi i ddeud wrtho fo, mi wyddwn i hynny. Ond sut fasa fo'n ymatab? Wrth fy ngweld yn pendroni, mi ddechreuodd o droedio'r tir yr oedd gen i ofn mentro arno.

"Nid trio gweld bai ydw i, Abi. A ti'n gwbod nad ydw i'n hawdd fy ngwylltio. Ti'n gwbod cymaint o feddwl sydd gen i o dy fam... a thitha..."

Wedi hynna o ragymadroddi, fe aeth ynta i'r gors. Yr unig ffordd y medra fo ddod ohoni oedd gofyn cwestiwn strêt, ac mi wnaeth.

"Oedd 'na rwbath rhyngdda chdi ac Anti Mabel?"

Nodiais fy mhen.

"Chdi ydi tad y babi yma?"

"Dwi ddim yn gwbod. Dwi ddim yn siŵr."

Mi edrychodd arna i. Rhyw edrychiad o dosturi bron, ond dwi'n siŵr fod yna fwy o siomedigaeth nag o dosturi ynddo hefyd. Mi gododd yn dawal oddi ar erchwyn y gwely.

"Ti'm yn gneud petha'n hawdd i mi, nag wyt?"

* * *

Bora dydd Sul wedi capal mi alwodd Mr Williams y gweinidog. Pan glywais i ei lais o, roeddwn i'n smalio cysgu. Yncl Sam ddaeth â fo i fyny, ond wnes i ddim cymryd arna fi i mi glywad llais Yncl Sam yn galw fy enw i.

"Gadewch iddo fo, Sam," medda Mr Williams, ac aeth y ddau yn eu hola i lawr y grisia. Bu acw am awr ac fe aeth jyst cyn cinio.

Roeddwn i'n bwriadu codi i ginio pan gariodd Yncl Sam hambwrdd at fy ngwely.

"Dwi'n meddwl y basa'n well i chdi fynd yn dy ôl i Fangor, Abi. Fedra i ddim cael sens gin dy fam tra wyt ti'n dal yma."

"'Di hi'n dal ddim isho 'ngweld i?"

Ysgydwodd ei ben.

"Ella ma' gneud petha'n waeth fasa hynny. Mi ffoniodd Jenkins eto. Mi ddeudais i dy fod ti'n mynd yn ôl i Fangor y pnawn yma ac y basa ti'n galw yn ei gartra fo at amsar te. Mi roith o lifft i chdi i Fangor os ei di hefo fo i'w swyddfa am ryw hannar awr."

Nodiais. Wedi meddwl, ella y basa cael 'chydig o ddyddia i mi fy hun yn gneud lles, ond roedd meddwl am fynd i weld Jenkins yn codi croen gŵydd arna i.

Yncl Sam oedd wedi pacio 'nghês bach i.

"Mae dy ddillad glân di i mewn yn hwn."

"Ydi Mam...?"

"Mae hi 'di mynd allan," meddai'n swta. "Dydi hi ddim isho dy weld di."

Yna wedi gweld fy wynab yn disgyn ychwanegodd, "Dyro 'chydig ddyddia iddi ddod ati'i hun. Ella y gwêl hi betha'n wahanol at ddiwadd wsnos nesa. Mi ddeuda i wrtha ti sut fydd petha."

Roedd James Jenkins yn wên ac yn groeso i gyd.

"Dwi wedi bod yn dy ddisgwyl di ers meitin, yli; mi gawn ni sgwrs yn y car ar y ffor' i Fangor."

Ac yn y car y deudodd o'r cyfan wrtha i.

Roedd Anti Mabel wedi mynd ato fo rai misoedd yn ôl i wneud ewyllys. Roedd yr ewyllys yn gadael y cwbwl o'i heiddo i mi. Doedd yna ddim llawar o bres ar ei hôl, ond hi oedd bia'r tŷ ar ôl i bolisi'r yswiriant dalu be oedd yn weddill ar y morgej. Roedd hannar pres hwnnw yn mynd i Yncl Sam. Ychydig wythnosa'n ôl, roedd o wedi cael negas ganddi o Lundain i fynd lawr i'w gweld i ysbyty yn fan'no. Roedd hi wedi talu'i gosta fo. Wedi cyrraedd yno, roedd hi wedi rhoi parsal iddo i'w roi i mi petai rhwbath yn digwydd iddi. Roedd y parsal yn ei swyddfa ac roedd o am i mi ei gael y prynhawn hwnnw.

Roedd yna bapura eraill i mi eu harwyddo ynglŷn â Rhodri.

"Rhodri?"

"Dyna be oedd hi isho galw'r babi os mai hogyn oedd o," meddai Jenkins.

"Chdi ydi'i dad o."

A dyna pryd y sylweddolais i mewn gwirionedd fod gen i blentyn, a bod gen i bellach gyfrifoldeb arall.

"Ble mae o?"

"Mewn ysbyty yn Llundain. Yn yr *intensive care*, ond dydi o ddim mewn peryg. Mi fydd yno am wsnos, ella bythefnos."

"Pryd ca i weld o?"

"Unrhyw dro ti isho, ond rhaid i chdi arwyddo'r ffurflenni sydd gen i i ddechra."

Dim ond ychydig funuda y bûm i yn y swyddfa ym Mangor. Mi ges i'r parsal gan Jenkins.

Roeddwn i wedi ama mai fy nghopi-bwc oedd yn y parsal, ac roeddwn i'n iawn. Ond roedd yna rwbath arall yn'o fo hefyd.

Dwi'n cofio crynu wrth gerddad o gar Jenkins i'r tŷ yn Farrar Rd. A dwi'n cofio eistedd i lawr ar ôl cynna'r tân letrig yn fy stafall. Roedd fy nwylo i'n crynu wrth i mi agor y parsal. Rhwbath calad oedd ynddo fo, mi wyddwn i hynny, ond roedd o'n rhy drwchus i fod yn gopi-bwc yn unig. Pan agorais i o, roedd yna ddau lyfr y tu mewn.

Fy nghopi-bwc i oedd un, ond roedd yna lyfr arall hefyd. Roedd hwnnw hefyd tua'r un maint. Pan agorais o ac edrych drwyddo, mi welais mai copi-bwc oedd hwnnw hefyd, ac ynddo fo, wedi'i blygu'n ei hannar, roedd yna lythyr hir i mi yn sgrifen daclus Anti Mabel. Roedd o'n dechra hefo geiria cân y Stones, 'Ruby Tuesday':

Annwyl Abi,
She would never say where she came from
Yesterday don't matter, 'cause it's gone;
While the sun is bright, or in the darkest night
No one knows, she comes and then she goes,
Goodbye Ruby Tuesday.

Wn i ddim yn iawn sut i ddechrau dweud y pethau hyn wrthyt ti, Abi, ond gan dy fod ti wedi dechrau cymaint o dudalennau yn dy gopi-bwc di hefo caneuon, dyma finna'n gwneud yr un fath. Byddaf i yma am rai wythnosau ac mi fydd hynny'n gyfle i mi egluro rhai pethau wrthyt ti. Efallai y byddi di'n deall pam yr wyf wedi dewis y gân yna.

Mi wn i fod yna amser caled ac anodd o fy mlaen i. Mae'r doctoriaid wedi dweud wrthyf nid yn unig fy mod i braidd yn hen i gario plentyn, ond y dyliwn i fod wedi ei erthylu ar y dechrau oherwydd fy oed i, a'r rhybudd ges i flynyddoedd yn ôl, ond fedrwn i ddim meddwl gwneud hynny, Abi. Mae'r bywyd bach yma sydd tu fewn i mi yn eiddo i ni ein dau. Ti a fi a'i creodd o, a neb arall. Ac oherwydd hynny mae'n werth i mi drio gwneud fy ngorau drosto. Mi wn, os bydd raid, y gwnei dithau yr un modd.

Rhag ofn i rywbeth ddigwydd i mi yr ydw i'n ysgrifennu hwn, er mwyn i ti gael gwybod rhai pethau. Rydw i wedi ysgrifennu dwsin o lythyrau atat ti, ond heb eu hanfon. Cynnwys y rheini, fwy neu lai, fydd beth rydw i'n ei ysgrifennu rŵan yn y llyfr hwn.

Doeddwn i ddim eisiau dim cyfrinachau rhyngom ni, Abi, ond roedd gen i rywbeth oedd yn cnoi tu mewn i mi bob tro y gwelwn i ti. Mae'n debyg dy fod ti'n gwybod erbyn hyn sut y bu dy annwyl dad farw, ond fy ngwas annwyl i, dim ond y fi sydd yn gwybod yn iawn *pam* y buodd o farw.

Rhyw fis cyn iddo fo farw mi ddaeth dy dad draw yma i gydymdeimlo hefo fi pan fuodd farw fy mam. Yr oeddwn i wedi ffonio Sam i roi gwybod iddo yntau, ond yr oedd o i ffwrdd yn gweithio a heb gyrraedd adref. Mi dorrais i lawr i grio o flaen dy dad ac mi afaelodd o amdanaf i er mwyn fy nghysuro. Wn i ddim sut na pham, ond mi arweiniodd hynny at goflaid a chusan, ac o fewn wythnos i gynhebrwng Mam yr oeddem ein dau yn cael *affair*. Yr oedd yna rywbeth yn ei boeni o yr adeg honno, ac mi fuodd yn hir iawn cyn dweud wrthyf beth oedd yn ei boeni. Ond fe ddywedodd wrthyf y noson cyn iddo fo farw – y noson y cawsom ein dal gan Sam. Fe ddaeth Sam adref yn gynnar y dydd Gwener hwnnw a'n dal ni yn y llofft gyda'n gilydd. Mi wylltiodd Sam yn gacwn. Petasai dy dad yn llai dyn, mi fuasai Sam wedi'i ladd o, ond wedi cael dweud ei ddweud mi stormiodd Sam o'r tŷ ac aeth yn syth i'ch tŷ chi. Mi aeth dy dad yn rhacs, a dyna pryd y dywedodd o wrthyf am ei drafferth. Yr oedd Mr Williams, y gweinidog, ac Ellis Hughes Bwtsiar wedi ffeindio fod yna ffigurau nad oedd yn balansio yng nghyfrifon y Capel. Roedd £24 ar goll. Roedd y swm hwnnw i lawr yn y llyfrau gan dy dad fel "Arian mewn llaw", ond roedd o wedi'u gwario nhw ac yn methu eu talu'n ôl. Roedd Mr Roberts wedi dweud wrtho fo y câi o wythnos i dalu'r pres yn ôl, neu mi fyddai'n rhaid iddynt ddwyn y mater gerbron y swyddogion y dydd Sul canlynol. Ar ben hynny rŵan, roedd Sam newydd fynd draw i'ch tŷ chi i ddweud wrth dy fam amdanom ni ein dau. Mi ddywedais i wrtho am beidio poeni am y pres, ond iddo fynd adref a wynebu dy fam. A dyna'r tro ola y gwelais i o. Ar ei ffordd adref yr oedd o, Abi. O leiaf dyna a ddywedodd wrthyf i, ond i fyny i Twll Chwarel yr aeth o, ac yn y fan honno y cafwyd hyd iddo fo ar y dydd Sul. Mi gadwodd Sam a dy fam hanes ein *affair* ni iddynt eu hunain. Mi symudodd Sam allan o'r tŷ y dydd Sadwrn hwnnw. Mi fuodd mewn tŷ lojin am ychydig, ond wedyn y peth nesaf glywais i oedd ei fod o wedi symud i mewn at dy fam a tithau. Mi es i at Mr Williams, y gweinidog, y diwrnod y daethon nhw o hyd i dy dad, a dweud wrtho fod dy dad wedi gadael £24 hefo fi, a'i fod o wedi dweud wrtha i yn benodol mai'r Capel oedd piau'r pres. Chlywais i ddim wedi hynny.'

Rhoddais y copi-bwc i lawr. Fedrwn i ddim darllan mwy am funud er 'mod i jyst â marw isho cario 'mlaen. Roeddwn i'n crio, ac roedd y dagra'n dod yn rhy hawdd. Roeddwn i'n crio am ei bod hi'n rhy hwyr i mi wneud na deud dim wrth Anti Mabel. Y petha yma oedd yn pwyso cymaint arni oedd y tristwch roeddwn i'n weld weithia yn nyfnderoedd ei llygaid hi. Mi drois yn ôl i ddechra'r llythyr a darllan y cyfan drachefn: 'Mae'r bywyd bach yma sydd y tu mewn i mi yn eiddo i ni, Abi. Ti a fi creodd o a neb arall.'

Fi oedd tad babi Anti Mabel, ac roedd hi... Mi ddechreuais i grio'n waeth pan sylweddolais i'r hyn roedd hi wedi mynd trwyddo yn ystod y misoedd ola 'ma. Ac yn y diwadd roedd hi wedi'i haberthu'i hun er mwyn i'r plentyn gael byw.

Yn sydyn, roeddwn i'n ôl yn llofft Anti Mabel yn cydorwedd hefo hi. Yn caru'n ara bach fel roedd hi wedi 'nysgu i. Yn sbio i'w llygaid hi. Yn gwrando arni hi'n deud petha yn fy nghlust i.

Yna mi gofiais i am y tro dweutha y buon ni'n caru.

Hwnnw oedd y tro y daru hi grio a gwrthod deud dim wrtha i.

"Rhaid i bawb grio weithia," ddeudodd hi. "Gwranda ar y gân yma." Mi gododd oddi ar y gwely a rhoi record Dave Berry 'mlaen.

I know all there is to know about the crying game,
I've had my share of the crying game.

Oedd hi 'di trio deud rhwbath wrtha i drwy'r gân? Finna heb ddallt? Arglwydd! Dyma beth oedd llanast.

Wedyn, mi ailddarllenais i'r hyn roedd hi'n ddeud am Dad. Pam na faswn i wedi ama o'r blaen? Pam na faswn i wedi holi mwy ar Mam? Pam ddiawl ddaru nhw gelu hyn i gyd oddi wrtha i? Roedd gen i hawl gwbod.

Yn sydyn mi deimlais i gasineb uffernol tuag at Mam ac Yncl Sam. Roeddan nhw, mewn ffordd, wedi 'mradychu i. Yn fwriadol wedi celu petha oddi wrtha i. Doedd ryfadd fod plant eraill i gyd yn chwerthin am fy mhen i, ac yn sbio'n rhyfadd arna i weithia. Ond mi gawn i dalu'n ôl rŵan. Mi gâi'r ddau sioc ar eu tina pan fyddan nhw'n ffendio go-iawn mai fi oedd tad babi Anti Mabel a 'mod i am ei fagu. Yna roeddwn i'n teimlo'n euog eto. Ddyliwn i ddim eu casáu. Fy ngwarchod i oedd eu bwriad, siŵr o fod. Nid fy lle i oedd ama dim ar eu cymelliada. Pam 'mod i am eiliad wedi teimlo casineb atyn nhw? Ai ceisio lleddfu fy nghydwybod fy hun roeddwn i? Ofn deud yn gwbwl agorad wrthyn nhw mai fi oedd y tad? Ai chwilio am rwbath i edliw iddyn nhw roeddwn i?

Mi godais ac es i'r bathrwm i olchi fy wynab. Wrth edrych arna fi fy hun yn y drych, mi gofiais am y tro hwnnw y sychais i'r Corona coch oddi ar fy ngheg yn nhŷ Anti Mabel. Roedd fy llygaid yn goch yr adag honno hefyd. Arglwydd! Roeddwn i'n hogyn oedd wedi crio'i siâr!

Yn ôl i lawr â mi. Am ryw reswm mi afaelais yn fy nghopi-bwc fy hun a dechra darllan. Gwenu wnes i'r tro yma wrth ddarllan a chofio am Buddug Wyn, Gwyneth Price a Linda Morris. Mi eisteddais yn ôl a chofio – cofio'r caneuon, cofio'r capal, cofio lawr y dibyn, cofio den Misty a Gogls. Be oedd Buddug Wyn yn ei feddwl ohona i erbyn hyn 'sgwn i? Buddug Wyn druan. Misty wedi marw a'i gadael hitha hefo baich. Yn union fel roedd Anti Mabel wedi 'ngadael i.

Ac roedd gen i rŵan gyfrifoldab fel tad. Y fi oedd i fod i edrych ar ôl babi Anti Mabel. Mi fydda rhaid i mi chwilio am rywun i edrych ar ei ôl o. O leia roedd gen i dŷ i symud iddo. Mae'n siŵr y basa Mam yn fodlon... neu tybad fydda hi? Roedd fy meddwl i'n carlamu eto. Un peth oedd yn sicr, roedd fy mywyd i wedi'i droi â'i ben i lawr – unwaith eto.

Mi ailgydiais yn llythyr Anti Mabel, a dechra darllan eto.

'Mi fûm i drwy gyfnod digon anodd, ond mi fuodd Sam yn eithaf teg gyda mi. Mi fu'n talu hanner morgais y tŷ bob wythnos yn ddeddfol, er nad oedd rhaid iddo fo. A ti fydda'n dod â'r pres draw acw bob dydd Sadwrn. Dyna pam yr ydw i wedi gofyn i Mr Jenkins roi pum cant o bunnoedd o bres y siwrin i Sam. Mae hynna tua hanner gwerth y tŷ. Fedra i ddim dweud cymaint roeddwn i'n edrych ymlaen at dy weld ti. Mi fyddat ti'n dweud petha mawr wrtha i, yn fy nefnyddio i mewn ffordd (ond doeddwn i ddim yn meindio hynny, cofia) i sôn am bethau oedd yn dy boeni di, a phan ddechreuaist ti gymryd diddordeb mewn merched! Abi bach, wyddost ti, mi roedd yna gyfnodau pan oeddwn i eisiau chwerthin – nid am dy ben di, dealla hynny – ond dyna pryd y sylweddolais i'r hyn mae rhai pobl ifainc yn mynd trwyddo yn eu llencyndod. Roeddet ti mor agored hefo fi, yn dweud pob peth, a finna'n dy gynghori di orau medrwn i. Mi fûm i'n ail a thrydydd ddarllen dy gopi-bwc di ar ôl i ti ei anfon i mi, ac mi ges i bleser yn ail-fyw ein perthynas ni dros y misoedd diwethaf.

Mae'r hen gân yna wedi bod yn troi yn fy mhen i ers misoedd, dyna pam mae hi'n codi'i phen yma a thraw. Mi leciwn i fedru newid y geiriau i 'Goodbye Mabel Thomas' ond dydi o ddim yn siwtio rywsut yn nac ydi?

Don't ask her why she leaves to be so free
She's gonna tell you it's the only way to be
She just can't be chained
To life where nothing's gained
And nothing's lost, at such a cost.

Dwi'n meddwl i fy nheimladau i ddechrau newid tuag atat ti y diwrnod hwnnw pan ddoist ti draw yma ar ôl i ti ysgrifennu cân Sonny a Cher yn dy gopi-bwc. Mi ddywedaist ti y dylai'r geiriau fod yn 'I got you Mabe!' Wyddost ti ddim cymaint yr arhosodd hynny ar fy meddwl i am ddyddiau ac wythnosau wedyn. Mi fûm i'n chwarae a chwarae'r hen gân honno nes oedd y record yn dwll. Chdi oedd Sonny, a fi oedd Cher!

I've got you to hold my hand – I've got you to understand
I've got you to walk with me – I've got you to talk with
  me
I've got you to kiss goodnight – I've got you to hold me
  tight
I've got you I won't let go
I've got you to love me so.

Yr oeddwn i'n gwybod beth oedd yn digwydd, ac yn

methu gwneud dim i rwystro fy hun. Roeddwn i'n syrthio mewn cariad hefo ti, Abi, ac eto'n gwybod na fedrai yna fyth fod ddyfodol i ni ein dau. Mi geisiais i fy ngorau iddo beidio digwydd. Wyt ti'n cofio'r diwrnod y doist ti draw i ddweud wrthyf i yn dy lawenydd dy fod ti wedi cael job yn Woolworths, a finna'n gas i gyd yn dy hel di oddi acw? Ceisio rhwystro fy hun rhag dweud wrthyt ti sut oeddwn i'n teimlo go-iawn roeddwn i. Mi fûm i'n crio am oriau y prynhawn hwnnw, Abi, ac mi griais i wedyn pan welais i dy fod ti wedi ysgrifennu yn dy gopi-bwc dy fod ti'n methu 'neall i, a dy fod ti wedi ysgrifennu geiriau cân y Moody Blues, 'Go Now', yn syth ar ôl hynny. Doeddwn i ddim eisiau i ti adael o gwbl! Isho i chdi AROS roeddwn i, ond fedrwn i ddim ffendio'r geiriau i ddweud hynny yn dy wyneb di. Pan fyddwn i'n meddwl amdanat ti weithiau, mi fyddai yna deimlad braf fel ton yn golchi drosof i gyd. Roeddwn i'n gwybod yn iawn beth oedd o, ac wedyn mi roedd yna gnoi mawr y tu mewn i mi pan oeddwn i'n sylweddoli mor amhosib roedd popeth. Mi wn i nad ydym ni ar yr hen ddaear yma ond megis eiliad, ond yr hyn oedd yn ymddangos mor annheg i mi – ynghanol yr holl gasineb sydd yn y byd – ei bod hi'n amhosib i mi fynegi cariad o ddifrif atat ti mewn geiriau. Fedrwn i ddim twyllo fy hun am eiliad fod yna ddyfodol i ni'n dau hefo'n gilydd, ac roedd hynny'n fy mrifo, Abi. Mae'n rhaid fy mod i'n henffasiwn i feddwl ar y dechrau y gallai'r bwlch sydd yn ein hoedran rwystro'r anochel rhag digwydd. Tra parhaodd o roedd o'n nefoedd, ond yr hyn oedd yn fy nychryn go-iawn, oedd edrych ymlaen ddeg neu ugain mlynedd. Sut tybed fyddet ti'n fy ngweld i yr adeg honno?

Dim ots gen i sut y bydd neb arall yn cofio'r haf olaf

yma, ond mi fyddaf i'n ei gofio fel yr haf hirfelyn tesog gorau i mi ei dreulio erioed. Ddim tra bydd anadl yn fy nghorff i yr anghofiaf i. Nid wyf erioed yn fy mywyd wedi edrych ymlaen cymaint at bob dydd. Pob un dydd, gan wybod fod hwnnw'n ddiwrnod yn nes at ddydd Sadwrn – pan fyddet ti'n galw.'

Unwaith eto, bu'n rhaid i mi droi'r llythyr heibio a chodi a cherddad. Unwaith eto fedrwn i ddim peidio â meddwl am Anti Mabel druan. Mor unig. Pam na fasa hi wedi deud wrtha i? Mi faswn i wedi medru handlo hynny, yn baswn? Neu faswn i? Oedd hi'n fy nabod i'n well? Onid newydd-deb a phlesar y rhyw oedd yn apelio ata i? Fedrwn i ddeud efo fy llaw ar fy nghalon fy mod i mewn cariad hefo Anti Mabel? Na fedrwn. Mi ges i bwl dieflig o euogrwydd wrth gofio y byddwn i weithia' yn dychmygu mai caru hefo Buddug Wyn y byddwn i.

'Ond rhywle tua'r diwedd, pan est ti i Fangor, mi ddechreuais i ysgrifennu llythyrau atat ti, ond fy mod i'n ormod o gachgi i'w gyrru na'u dangos nhw i ti. Hyd yn oed heddiw, rydw i'n dal i feddwl efallai mai camgymeriad ydi'u hanfon nhw atat ti, ond rydw i'n gwneud hynny rŵan gan wybod dy fod ti'n ddigon aeddfed i ymateb yn ddeallus iddyn nhw, ac os oes yna drysori i fod, fod yr hyn oedd rhyngom ni yn unigryw ac am byth.

Pe bawn i ugain mlynedd yn iau, Abi, mi fuaswn i wedi gwneud unrhyw beth i dy gadw di hefo fi, oherwydd y tro diwethaf y daethost ti yma roeddwn i'n gwybod fod yr hyn oedd rhyngom ni yn arbennig iawn. Ar yr un adeg honno yn fy mywyd nid oeddwn eisiau dim arall ond dy gwmni di. Rhannu fy mywyd hefo ti am byth. Ond mi wyddwn fod hynny'n annheg â ti. Dyna pam y penderfynais i ddweud wrthyt ti am fynd ac mai hwnnw fyddai'r tro olaf. Ni fedraf fynegi wrthyt cymaint yr oeddwn eisiau i'r tro hwnnw fod yn gychwyn rhywbeth yn hytrach na'r diwedd, ond fe sylweddolais mai drysu dy fywyd di fuaswn i drwy barhau â'n perthynas neu ddweud yn amgenach wrthyt. Abi, fy nghariad annwyl i, paid â bod yn rhy lawdrwm ar dy hen Anti Mabel. XX'

Pennod 7

*F*feil fach ydi'r ffeil ola ond un. Dwi'n cofio hynny. Does yna fawr o waith darllan arni. Ond dwi'n oedi cyn ei hagor. Oni fydda'n well i mi adael popeth tan rywbryd eto? Ac fe wn i pam y mae oedi yn croesi fy meddwl, ond faswn i ddim yn cyfadde hynny, hyd yn oed wrtha i fy hun. O edrych ar y cloc, mae'n hwyr. Mae hi'n hannar awr wedi un yn y bora. Bûm yn yr union sefyllfa yma o'r blaen. Yr awr yn un hwyr a'r blinder yn llethol. Minna'n mynd drwy'r ffeilia fesul un ac un ac yn cyrraedd y ffeil ola ond un.

Fyddwn i ddim yn disgwyl i Dr Jackson ddallt, ond mae Dr Smallfoot yn wahanol. Mae Dr Smallfoot yn fy nallt i'n iawn, oherwydd mae Dr Smallfoot yn gwbod beth ydi cynnwys y ffeila. Mae Dr Smallfoot yn gwbod am bob manylyn o bob perthynas ges i hefo merched. Ac mae o'n dallt. Mae'n dallt fod yna achubiaeth i mi, a dwi inna'n credu hynny hefyd. Dyna pam dwi'n dal yma.

Does dim rhaid i mi feddwl eilwaith am y gân fydda i'n ei chwara wrth ddarllan y ffeil hon. Af at y peiriant a gwasgu cân rhif 5. Mae Mynediad am Ddim yn canu:

Dyma gân achubwyd o donnau y moroedd
Fe'i gwelwyd yno'n boddi gan Geidwad y Goleudy
Fe'i clywodd yn gweiddi 'A wnei di f'achub i?'
Cân a oedd yn llithro rhwng muriau llaith anghofio
Ceidwad y Goleudy ydwyf i.

Ac mae rhai'n meddwl 'mod i wedi fy achub.

Mam oedd y broblam. Doedd hi ddim wedi torri gair â mi ers bron i fis o amsar. Roedd hi'n gwrthod fy wynebu i. Mi wn i fod petha wedi bod yn anodd i Yncl Sam hefyd, ond mae Yncl Sam yn wahanol. Mi wrthododd o gymryd y £500.

"Dyro nhw yn y Post. Yn enw Rhodri bach."

Dyna ddeudodd Yncl Sam.

Mi es i draw adra un noson heb ddeud 'mod i'n bwriadu mynd. Bob tro yr oeddwn i'n mynd draw cyn hynny roedd Mam yn digwydd bod 'allan'. Mynd draw roeddwn i i ddeud fy mwriad. A meddwl am Abram Ifans ac Owan Bach oedd wedi 'mherswadio i mai 'nôl adra, yn fy nghynefin, oedd fy lle i.

Mi ddyla'r olwg a'r ochenaid a roddodd Yncl Sam i mi yn y drws fod wedi awgrymu rhwbath wrtha i. Roeddwn i'n lled-ama y byddai'n gyfarfyddiad anodd, ond doedd dim pwrpas osgoi hynny. Pan es i'r gegin, chododd Mam mo'i phen.

"Sut 'dach chi erbyn hyn, Mam?"

"Gweddol." Oedodd, "Trio dechra 'mgodymu rŵan."

"A finna hefyd. Gwaith yn mynd yn iawn, Yncl Sam?"

Nodio wnaeth Yncl Sam.

"Dwi wedi dod draw i ddeud wrthach chi… am rai petha fydd yn digwydd."

Distawrwydd llethol. Mi es ymlaen, "Dwi wedi ordro carrag i roi ar fedd Anti Mabel."

"Dydan ni'm isho gwbod!"

"Meri!" Doedd o ddim wedi'i ddeud yn gas, ond roedd yna awgrym o gerydd yn y ffordd y deudodd Yncl Sam ei henw. Finna rywsut wedi ama mai i Yncl Sam y basa clywad hynny anoddaf. Wedi'r cwbwl, roedd Anti Mabel yn gyn-wraig iddo fo.

"Dwi'n rhoi'r gora i'r tŷ ym Mangor, ac yn symud i fyw i dŷ Anti Mabel – hefo Rhodri."

"Pwy gei di i edrych ar 'i ôl o? Dwi'n cymryd y byddi di'n dal i fynd i Woolworths bob dydd?"

"Bydda. Mi fydd rhaid i mi roi nodyn fyny yn ffenast y Post neu yn yr *Herald*."

Mi fuodd yna ddistawrwydd hir.

"Blydi ddynas 'na!"

"Mam!"

"Meri!"

Mi ddeudodd Yncl Sam a finna'r ddau air hefo'n gilydd bron. Mi godiodd Yncl Sam yn syth a mynd am y cefn. "Mi wna i banad i ni," meddai'n swta cyn gadael.

"Ma' be sy wedi digwydd wedi digwydd, Mam!"

"Fedra i fyth fadda iddi, ddim tra bydda i! Nac i chditha chwaith!"

"Am iddi hi fynd hefo Dad?"

"Am bopeth... am iddi dy gam-drin di."

"Ddaru hi ddim fy ngham-drin i!"

"Dy gymryd di i'w chartra'n blentyn, a manteisio arna chdi. 'Nunion fel nath hi hefo dy dad!"

Doedd dim pwrpas. Doedd hi ddim isho edrych ymlaen, dim ond yn ôl. Dôs am ddôs roedd hi i fod felly.

"Ac o fewn 'chydig wsnosa i farw Dad, roeddach chi'n cysgu hefo'i gŵr hi! Be oeddach chi'n neud, talu'n ôl iddi, ia? Talu'n ôl i bwy leciwn i wbod? Iddi hi neu i Dad?"

"Paid ti, o bawb, ag estyn bys ata i! Mi ges i flynyddoedd calad hefo dy dad. Wyddost ti ddim be 'di byw hefo dyn yn ei wendid!"

Doeddwn i ddim yn siŵr iawn beth roedd hynna yn ei feddwl. Rhaid ei bod hi wedi gweld y benbleth ar fy wynab.

"Pam wyt ti'n meddwl y lladdodd o'i hun? Ti rioed yn meddwl y basa poeni am ryw fymryn o bres capal yn ei yrru o i roi rhaff am ei wddw, wyt ti? Abi bach, mae'n bryd i ti ddod i'r byd real! Y bitsh yna gyrrodd o dros y dibyn, yn union fel mae hi'n dy yrru ditha!"

"Mam!"

"Dwi'n deud wrthat ti! Dynas uffernol oedd hi... ac ydy hi!"

"Mae hi wedi marw, Mam!"

"Mi fydd hi'n dy witshio di o'i bedd!"

Un cardyn oedd gen i ar ôl i'w chwara.

"Mam, rydach chi'n nain."

Ond doedd dim byd faswn i'n ei ddeud wrthi'r diwrnod hwnnw yn mynd i newid ei meddwl hi.

"Mi fydd ei gafael hi'n dal arnat ti! Mi geith hi chdi ryw ddiwrnod – yn dy wendid!"

Doeddwn i ddim yn gweld pwrpas aros yno ddim hwy. Wnes i ddim aros hyd yn oed i Yncl Sam ddod â phanad i mi. Mi es drwy'r drws ffrynt a rhoid cythral o glep iddo fo.

Mi es yn syth i dŷ Anti Mabel. Mi ddyliwn i rŵan ei alw fo'n dŷ i mi. Mi es o stafall i stafall. Dechra yn y llofftydd. Y llofft fach wrth reswm fyddai llofft Rhodri, a'r un ffrynt – hen un Anti Mabel – fydda fy llofft inna.

Aeth ias trwof wrth gerddad i'r stafall honno. Roedd popeth fel y gadawsai Anti Mabel nhw. Roedd yna fymryn

200

o ogla tamp drwy'r tŷ. Mi fydda'n rhaid crasu'r tŷ a'r gwely.
Edrychais arno, a chofio. Sawl gwaith y bûm i'n gorwedd
arno, ac ynddo, gydag Anti Mabel? Beth oedd Mam yn ei
feddwl pan ddeudodd hi y bydda Anti Mabel a'i gafael
yno' fi yn ymestyn o'r tu draw i'r bedd? A beth oedd y
'gwendid' oedd ar Dad? Oedd Anti Mabel wedi deud
popeth wrtha i yn ei llythyr ola?

Anghofiais am y tamprwydd a gorweddais ar y gwely.
Gorwedd yno a throi popeth yn fy meddwl. Troi a throi a
throi. Fedrwn i ddim cael geiria Mam o fy meddwl. Yno
roeddwn i'n ceisio gwneud rhyw synnwyr o betha pan
glywais gnocio ar y drws ffrynt. Codais ac es i lawr y grisia.

Lledaenodd gwên lydan dros fy wynab pan welais
wynab llwydaidd Buddug Wyn yn sefyll yn y drws. Hannar
-gwenodd hithau'n ôl. Sefais yno'n rhythu arni. Roedd ôl
cystudd ar ei hwynab hi, ond roedd hi'n dal yn dlws.
Llygaid glas, dannadd gwynion a gwallt melyn wedi ei
godi'n boni-têl.

"Tyrd i fewn, duwcs! Sbia arna fi'n sefyll yn fa'ma yn
lle gofyn i chdi ddod i mewn."

Mi es â hi i'r parlwr ffrynt a throi switsh y tân trydan.
Ymhen ychydig eiliada roedd y baria'n cochi.

"Sori am y llanast, a'r ogla. Dwi ddim wedi cael amsar
eto i llnau na chynna tân…"

"Mae'n iawn."

Doedd hi ddim yn deud llawar, dyna pam yr aeth y
cwestiwn drwy fy meddwl i, "Be ddiawl mae hi isho?"
Well i mi drio cychwyn petha, ond roedd fy nghalon i'n
llamu yr un pryd.

"Sut wyt ti'n dod i ben efo petha?"

"Anodd, weithia."

"Mi wn i. 'Dan ni'n yr un cwch rywsut, 'tydan?"

"Pryd welaist ti rai o'r hogia ddweutha?"

"Fydda i'n gweld Gari – Gogls – weithia'n Blac Boi. Mae o'n mynd i ryw goleg yn Coventry."

"Ti'n gwbod fod Idwal Wyn wedi mynd i'r Armi?"

Nodiais.

"Be am y genod? Ydi o'n wir fod Gwyneth yn priodi?"

"Yndi. Plisman newydd Llanbêr!"

"Fydd rhaid iddi fihafio rŵan!"

"A Linda'n canlyn hefo Elwyn Porc Peis? Sôn am fynd i Lerpwl fel *rep* medda'i fam."

"Pob dim yn chwalu, 'ntydi?"

"Pawb yn gadael, ond y chdi a fi!"

"Ia. Y ddau ohonan ni'n dod yn ôl i'r dymp yma!"

"Ty'd o'na, Abi! Dydi'r lle 'ma ddim mor ddrwg â hynny?"

Roedd 'na rwbath gwahanol yn ei llais hi rŵan. Fel petasa hi wedi bywiogi drwyddi. Wedi troi'n ymosodol bron. "Rhaid i rywrai aros yma a magu plant, neu mi fydd y lle 'ma'n marw!"

"Ia, ond…"

"Ond, be?"

"Sbia ar y ddau ohonan ni. Dwi'm eto'n ugian oed a gin i blentyn ychydig wsnosa oed i edrach ar ei ôl. Titha'n weddw yn ei hugeinia cynnar hefo dau o blant. 'Dan ni wedi clymu'n hunain am flynyddoedd gora'n hoes."

Distawrwydd bach eto. Yna fe ddaeth y cwestiwn fel bwlat o wn, ond fe gododd fy nghalon i rywla.

"Be 'nei di hefo'r tŷ 'ma, Abi?"

Edrychais arni cyn atab. Roedd o'n gwestiwn rhyfadd, ond roedd rhaid i mi ei atab yn onest.

"Dwi'n bwriadu symud i mewn yma hefo Rhodri. Dwi'n rhoi'r gora i'r tŷ ym Mangor. Mi fedra i fynd i Fangor bob dydd ar y bỳs, neu ella brynu car. Pam ti'n gofyn?"

"Wedi meddwl symud o fewn y pentra hefo'r hogia oeddwn i. Tŷ Mam yn rhy fach i bawb. Blydi Saeson 'ma'n prynu pobman, felly dwi'n chwilio am le ar rent."

Oedd hi'n awgrymu be roeddwn i'n feddwl roedd hi'n ei awgrymu? Mi sleifiodd yna feddylia braf i 'mhen i. Fentrwn i ofyn iddi?

"Buddug Wyn?"

"Ia?"

Es yn nes ati ac edrych i fyw ei llygaid.

"Be am?... Oes 'na siawns ?... i ni, y ddau ohonan ni 'lly?"

Doedd geiria erioed wedi dod yn hawdd i mi, ond fe aeth petha'n draed moch yn y fan'na. Pan oeddwn i fwya'u hangen nhw, roeddan nhw'n gwrthod dŵad a finna newydd 'neud smonach o ofyn iddi.

Mi wenodd yn gariadus arna i a dal ei phen fymryn yn gam. Ysgydwodd rhyw fymryn arno, a phlygodd ymlaen a rhoi ei llaw ar fy llaw inna. Ailgychwynnais inna, "Mi fedrat ti a'r hogia symud aton ni... at Rhodri a finna. Mi fasa ni'n deulu."

Tynnodd ei llaw yn ôl a rhoddodd ochenaid fechan. Roedd yna awgrym o wên yn dal i hofran rownd ei cheg wrth iddi ymestyn am ei bag. Wrth ymbalfalu ynddo fo, mi siaradodd am y tro cynta ers i mi ofyn fy nghwestiwn iddi.

"Doedd petha ddim yn dda rhwng Misty a finna, 'sti..." meddai'n gloff.

"O?" meddwn inna'n syn. "Wyddwn i ddim... sori."

A wyddwn i ddim go-iawn chwaith, ond yn sydyn mi welwn fy siawns o gael atab i 'nghwestiwn yn haws. I ble roedd brawddeg fel 'na'n arwain ond i un lle? Roedd hi'n dal i ymbalfalu yn ei bag, ac roedd fy nghalon i'n canu. Roedd llawenydd yn llifo drosta i. Roeddwn i'n siŵr ei bod hi ar fin deud mai fi roedd hi'n ei garu ar hyd y blynyddoedd. Roeddwn i isho llamu ati a'i chusanu.

"Sbia be s'gin i'n fa'ma," meddai hi o'r diwadd gan dynnu'i llaw yn ara bach o'i bag. Gwenais arni, gan hannar disgwyl gweld hen lythyr caru wedi'i ysgrifennu ar dudalen o gopi-bwc, neu bishyn tair falla?

Rhaid ei bod wedi gweld fy wynab yn disgyn pan estynnodd y ffotograff a'i ddangos i mi.

"Abi? Be sy'n bod?"

Roeddwn i'n rhythu ar wynab rhyw hipi hirwallt barfog budr. Roedd o'n pwyso ar gitâr. Ysgyrnygais arno.

"Abi! Be sy'n bod?" gofynnodd Buddug Wyn drachefn, ond fedrwn i mo'i hatab hi. Un gnoc ar ôl y llall. Juliette yn fy ngwrthod i, Anti Mabel yn methu ymddiried yno' i, Mam yn troi'i chefn arna i, a rŵan Buddug Wyn... ai hwn fydda'r darostyngiad ola?

"Damien ydi'i enw fo," medda'r llais crynedig. "Hogyn o Moss Side yn Manchester. Mi wnes i ei gwarfod o pan oedd o'n labro ym Mangor. Rŵan, 'dan ni'n chwilio am dŷ."

Un gnoc ar ôl y llall... y darostyngiad ola... Fe ddechreuodd tŷ Anti Mabel nofio o 'nghwmpas i. O stafall i stafall roedd y lle i gyd yn cau amdana i fel dau fys pinshars. Roedd y bysadd hirion creulon yna wedi bod wrthi'n cau yn ara bach amdana i ers pan oeddwn i'n blentyn. Roedd yna rywun efo dwrn calad yn eu gwasgu. Weithia, pan deimlai'r pinshars hwnnw gnawd meddalach na'i gilydd fe roddai 'sgrytiad sydyn, fel pan fu farw Dad, yna doedd dim rhaid iddo wneud dim byd ond gwasgu'n ara bach. Roeddwn i yn ei afael o wedyn. Roedd o'n gwrthod gadael i mi ddianc. Mi welwn i gorff yn crogi, mi welwn i wynab Dad yn las a'i dafod yn dew. Roedd ynta wedi bod yn gorfadd ar yr union wely y bûm i'n gorfadd arno. Cysgu ym mreichia'r ddynes y bûm inna'n cysgu efo hi. Roeddwn i'n gweld arch Anti Mabel yn diflannu i safn y bedd fel y bydda'r bocs cardbord yn ei wneud erstalwm. Ac yma, yn y tŷ hwn, roedd y bysadd creulon yn cau eto. Roedd Anti Mabel wedi mynd am byth. Breuddwydion wedi'u chwalu. Dad ac Anti Mabel wedi marw am byth. A rŵan, be oedd Buddug Wyn yn ei ddeud wrtha i? Breuddwyd arall ar fin chwalu. Breuddwyd oedd wedi 'nghynnal i drwy flynyddoedd o ansicrwydd.

"Abi! Pam wyt ti'n sbio arna i fel'na?"

Do mi glywais i ei geiria hi, ond geiria eraill oedd yn chwyrlïo drwy fy meddwl i:

You look like an angel, talk like an angel,
Walk like an angel, but I got wise
You're the devil in disguise!

Ond nid geiria Buddug Wyn oedd yn llosgi yn fy mhen i ac yn serio'u llythrenna ar fy meddwl i, na geiria Elvis Presley chwaith. O rywla mi glywais i lais main Mam yn edliw i mi: "Mi geith y bitsh chdi yn dy wendid... yn dy wendid... yn dy wendid..."

Rŵan, o'r diwadd, roeddwn i'n dallt be oedd fy ngwendid i, gwendid Dad a gwendid pawb arall... Sut ydach chi'n denig rhag colli unrhyw beth sydd wedi dod yn obsesiwn ac yn rhan annatod ohonach chi? Ac yn wynab hynny, sut mae ymatab i reddf swmbwl dinistriol yn y cnawd?

Doedd uffar o ots fod llais Buddug Wyn yn ymbil wrth sgrechian, "Abi! Abiii!!!..." Ond, a hi'n fy ngadael, roedd hi'n rhy hwyr. Roedd y bitsh fach yn rhy hwyr.

Pennod 8

*M*ae hi'n ddau o'r gloch y bora, ac mae blindar yn dechra
cael y gora arna i. Be wna i? Agor y ffeil ola a'i darllan
hi? Dydw i ddim yn meddwl y gwna i hynny. Ddim heno,
beth bynnag.

A dydi cynnwys y ffeil ola ddim cweit be roedd Dr
Smallfoot yn ei ddisgwyl. Ffeil Anti Mabel, Owan Bach a fi
ydi'r ffeil ola, nid ffeil Buddug Wyn.

"Y bitsh!" dyna sgrechiodd Mam yn fy wynab i yn y llys.
"Mae'r bitsh wedi dy gael di yn dy wendid!"

Ond nid 'bitsh' mo Anti Mabel. Ac mi fûm i'n meddwl a
meddwl am eiria Abram Ifans ar ei wely anga. Y ffordd yr
oedd o wedi ynganu'r gair 'bitsh' – doedd o ddim wedi ei
ddeud o'n gas o gwbwl. Wedi ei ddeud o bron fel term o
anwyldeb, ac yn y cyswllt hwnnw roedd o'n swnio bron yn
gompliment.

Ac onid fel yr aeth Cymru yn ail gariad i Abram Ifans y
daeth Anti Mabel i minna? Onid oedd hi wedi 'nghofleidio
i? Wedi fy ngharu i? Wedi dangos i mi sut oedd ei charu hi?
Ac roeddwn inna wedi dychwelyd ei chariad. Doeddwn i
ddim wedi ei difrïo na'i dibrisio. Doeddwn i ddim wedi ei
brifo na'i bradychu. Ac roeddwn i wedi rhoi etifedd iddi.

Yn y ffeil ola hefyd ma' hanas Owan Bach. Mae 'na ugian
mlynadd ers pan fuo fo farw. Aeth y cradur bach yn dwlali.
Cymru'n pwyso ar ei feddwl o, medda'i dad. Drygs, medda'r
crwner. Mi dreuliodd o chwe mis yn y carchar ar ôl helynt
bomio Caer, ac fe dreuliodd ddwy flynadd ola'i oes yn y

sbyty yn Nimbach. Yn fan'no doedd o'n gneud un dim ond darllan a gwrando ar recordia. Fi gafodd y recordia ar ei ôl o. "Roedd o isho i chdi'u cael nhw," meddai'i dad – yr unig dro y buo fo yma'n fy ngweld i.

Yncl Sam ddeudodd wrtha i sut y buodd o farw. Boddi ddaru o, mewn bàth yn y sbyty. Ac mi ffendion nhw gopi o Cerddi'r Cywilydd *yn nofio ar y dŵr. Ac Yncl Sam ddaeth â chopi o hwnnw i mi hefyd. Roeddwn i isho darllan y peth ola roedd Owan Bach wedi'i ddarllan cyn marw. Roeddwn i isho dallt...*

Dwi'n ystyried o ddifri am fynd i fy ngwely rŵan a diffodd y peiriant cryno-ddisgia hefyd. Ond mae 'na un gân ar ôl. Hon fydda i'n ei chwara cyn agor y ffeil ola. Ond ddarllena i mo'r ffeil ola i gyd. Mae'n rhy hwyr i'w darllan i gyd, ond mi wrandawa i ar y gân. Mae hon yn llenwi fy mhen i efo darlunia braf ac erchyll. Yn troi fy mhen i fel chwrligwgan. Yn dechrau pantomeim... Na! Wna i ddim gwrando arni. Gwnaf! Mi wrandawa i arni. Dwi'n oedi mewn distawrwydd er mwyn clywad pob eiliad ohoni.

Mi glywaf sŵn tanna rhyw delyn neu noda rhyw biano, tydw i ddim yn rhy siŵr iawn pa un. Mae hon eto yn gân gyfarwydd. Dwi wedi gwrando ar hon nes mae'r ddisg yn dwll. Gallaf wrando ar y gân yma drachefn a thrachefn. Dwi'n codi a mynd at y cwpwrdd wrth ymyl y gwely. Estynnaf y bocs baco, y matsys a'r papur Rizla. Eisteddaf. Gadawaf i fflam y fatsien lyfu blaen y sigarét am ychydig cyn rhoi'r pen arall yn fy ngheg a dechra tynnu'r mwg yn ddwfn i fy 'sgyfaint. Mae'r mwg yn chwyrlïo i'r awyr. Gwasgaf fotwm y peiriant cryno-ddisgia i ailgychwyn y gân, ac yna gorweddaf yn ôl ar fy ngwely i wrando ar Gôr Seiriol yn canu'r gân olaf:

...Ti'n gwrthod pob cyffyrddiad, fy anwybyddu'n llwyr

Ond dyma'r uffern waethaf – mae hi'n rhy hwyr.

A dyma'r llunia'n dod. Mae gwrando ar y gân hon yn hunanartaith... Mi fydda i'n dychmygu Owan Bach, dlawd, yn bathrwm 'Sbyty Dimbach yn suddo'n ddyfnach a dyfnach i ddŵr y bàth ac yn gweiddi, "Boddi! Boddi! Ddeudis i, do?" Ac fel y bydd y dŵr yn dechra llenwi ei geg a'i ffroena a threiglo i'w 'sgyfaint mae yna wên yn ymddangos ar ei wynab wrth iddo ddiflannu'n ara dan y dŵr. Mae hen bitsh Abram Ifans wedi cael gafael fel gele yn Owan Bach. Mae yna eiliada meithion yn pasio a finna'n gweld siâp ei gorff llonydd o dan y dŵr yn y bàth. Yn sydyn, mae o'n codi ar ei eistedd, mae 'na lyfr agored yn ei ddwylo ac mae'i lygaid o'n sbio'n syth drwydda i ac mae o'n sgrechian chwe gair, "Abram Ifans oedd yn iawn! Bitsh!" Yna mae o'n diflannu am byth.

Ac mi fydda i, fel Côr Seiriol, yn gweiddi'n ôl arno fo, "Rhy hwyr! Rhy hwyr, Owan Bach! Be oedd pwynt boddi dy hun? Byw dros y bitsh roedd ei angan, nid marw drosti. Pam na fasat ti wedi meddwl am hynny flynyddoedd yn ôl?"

Dwi wedi newid dros y blynyddoedd, ond dydi'r caneuon ddim. Mae'r rheini'n aros yn gerrig milltir ac yn dal i gael eu cyfansoddi o ddydd i ddydd. Ac os mai Saesneg oedd caneuon y gorffennol i gyd – Cymraeg ydyn nhw rŵan. Oherwydd dwi wedi sylweddoli na fedra i fyth newid pwy ydw i na beth ydw i. Mi fedar pobol eraill reoli fy mywyd i. Yn wir, pobol eraill sydd yn rheoli pob agwadd ar fy mywyd i bellach – pob un ond un. Fedar neb arall reoli fy meddwl i. Os mai arall pia'r dyfodol, fi pia'r gorffennol a fedar neb ddwyn hwnnw oddi arna i. A fi fydd pia hwnnw tan y dydd y bydda i farw. A chan mai 'nhynged i fel pawb arall ydi diweddu fy nyddia yn y lle yma, fedra i ond gwneud y gora o'r hyn sydd gen i'n weddill.

Ma' Rhodri ni dros ei ddeg ar hugain erbyn heddiw. A daw'r sylweddoliad i mi fod yna dri deg o flynyddoedd a chwe mis wedi pasio ers… ers… marw… Buddug Wyn. Ond mae hi'n fyw i mi.

Buddug Wyn! Mae'r hud yn dal i 'nghyfareddu wrth i mi ynganu neu sibrwd ei henw. "Buddug Wyn."

Dy serch, do fe ddiflannodd fel haul y bore gwyn
Roedd ias dy ddifaterwch yn ergyd greulon im;
Mi wn mai'r ddrycin arwaf ar orwel fory fydd
Yn mynnu dwyn fy ngobaith. Fe'th gollaf di.

Colli! Dwi wedi colli'r cwbwl bron. A phan fydda i'n meddwl hynny, mi fydda i'n ceisio rhoi fy hun yn sgidia Owan Bach ac Abram Ifans – y ddau'n teimlo ar wahanol adega yn eu hoes nad oedd yna ddim byd ar ôl yn hyn o fyd ond gorfadd a derbyn yr anochel.

Mi fydda i'n lecio troi sain Côr Seiriol yn uchal pan fyddan nhw'n canu'r gân yma, nes bo'r gytgan yn diasbedain lond y gell a llond fy mhen i. Yna, mi fydda i'n gorwedd yn ôl ac yn crio fel babi wrth feddwl am beth ddigwyddodd.

A bydd y llun ola o'r dydd arswydus hwnnw i'w weld yn yr adlewyrchiad ohona i fy hun yn cael fy hebrwng o dŷ Anti Mabel a gola glas ar do'r Austin Cambridge du yn troelli'n gyson reolaidd ar fy wynab llwyd i. A hefo'r darlun hwnnw a chwestiyna Dr Smallfoot y cychwynnais i'r ffeil ola…

Dydw i'n cofio dim rhwng sgrech ola Buddug Wyn a fflachiada'r gola glas. Dydw i'n cofio dim byd ond y llais oedd yn chwyrlïo rownd fy mhen i. Llais poen a llais cysur.

"Bitsh!" medda'r llais.

"Ma'r bitsh wedi mynd," medda'r llais.

"Gei di lonydd rŵan," medda'r llais.

"Cheith neb arall mohoni rŵan," medda'r llais.

"Llonydd a thawelwch," medda'r llais.

"Dim mwy o lenwi dy feddwl di, a dim mwy o chwara ar dy feddwl di," medda'r llais.

"Llonydd rŵan… am byth," medda'r llais.

"Bitsh! B.i.t.s.h.! BITSH!" medda'r llais.

A phan ddistewodd y llais, fe ddechreuodd cwestiyna Dr Smallfoot.

"Dim ond un hogan sydd wedi bod yn eich bywyd chi go-iawn, yntê, Abi?"

Mae'r cwestiyna fel procar poeth yn pwnio ffwrn ffyrnig o dân. Ond nid chwyddo'r fflama sydd ei angen, ond rhoi'r dampar arnyn nhw. Finna'n cofio bod angan cadw'n cŵl. Trio 'ngwylltio i mae Dr Smallfoot. Fy nghael i ddeud petha…

"Un! *Come on*, doctor! Buddug Wyn… Anti Mabel… Magi Fawr a Vera… Menna… Juliette…"

"Amrywiada ar Buddug Wyn ydan nhw i gyd…"

Hen brociad calad oedd hwnna. Dwi'n oedi ac yn gwenu wrth gofio cysgod ar y wal. "A 'dach chi wedi bod fel pwti yn eu dwylo nhw?"

"Os mai dyna be 'dach chi isho'i gredu."

"A'r un ohonyn nhw'n golygu dim byd i chi heblaw Buddug Wyn, ac un arall…" Rŵan, dwi'n glustia i gyd. Mae hi'n mynd ymlaen, ac yn pwyso a mesur ei geiria'n ofalus. "Yn ôl be wela i, roedd yna un oedd yn wahanol…"

"Fedrwch chi ddim deud…"

"Juliette…"

"Doedd hi *ddim* yn wahanol!"

"Oedd… Abi. Yn Nulyn roedd petha'n wahanol. Ymhell, bell o Gymru fach. Ymhell bell oddi wrth Buddug Wyn… ac Anti Mabel… Juliette oedd eich dihangfa chi… *mae'n werth troi'n alltud ambell dro*… ffàd dros dro, cysur i bawb sydd isho dianc o Gymru, a'ch cyfla chi i ddianc unwaith ac am byth, nes i chi sylweddoli… na fedrach chi ddim ddianc… roedd Buddug Wyn yn dal yn eich pen chi, roedd rhaid i chi ddychwelyd… *Duw a'm gwaredo*… chwedl Abram Ifans!"

"Doedd Juliette ddim gwahanol…"

"Nac oedd hi! Pam felly sgwennu mwy amdani hi nag am neb arall?"

"…roedd ganddi hitha boni-têl!" dwi'n gorffan yn gloff.

"Mae gan bob un o'r merched fuoch chi hefo nhw boni-têl. Neu o leia dyna ydach chi'n ddeud?"

Dwi'n gwbod be mae Dr Smallfoot yn drio'i wneud. Mae'n trio mynd tu mewn i 'mhen i. Ond fedra i ddim gadael i hynny ddigwydd. Pan ddigwydd hynny, fe fydda i'n peidio â bod fel ydw i, a bydda i'n colli 'ngorffennol.

"Dewis yn ofalus wnes i…"

"Ac roedd pob un yn ei thro yn bitsh hefyd?"

"Geiria Abram Ifans… ac Owan Bach…"

A phan fydda i'n deud enw Owan Bach, mi fydd y

darlun ohono fo'n boddi'n ara bach yn dŵad yn glir i fy meddwl i. Owan Bach yn marw. Y dŵr yn llofrudd yn llepian yn araf wrth bob twll yn ei ben... y dŵr coch yn aros ei gyfla i lenwi ceg, trwyn a chlust... dŵr fel gwaed yn aros i lifo i'w 'sgyfaint... i lenwi ei holl gorff... i gau pob piben... aros ei gyfla am y mewnlifiad ola... ei waed ei hun yn trio ffendio'i ffordd yn ôl i'w gorff.

Ond dwi wedi darllan digon heno.

Wna i ddim darllan ymlaen.

Af i ddim i grombil y ffeil ola. Na! Wna i ddim darllan 'chwaneg. Ddim heno, beth bynnag. Ac mi drof sain y cryno-ddisg i lawr ryw fymryn, jest rhag ofn i'r Warden Nos glywad y sŵn. Mae o'n gwbod yn iawn 'mod i ar fy nhraed yn hwyr.

Mae yna flindar affwysol yn cripian i fyny 'nghorff i. Dwi'n codi a diffodd y peiriant. Yna, dwi'n troi at y camera fideo sydd yng nghornel yr ystafell a chodi fy llaw. Mi fydd y Warden Nos yn gwybod rŵan 'mod i'n iawn, a fydd o ddim yn debygol o alw ar Dr Jackson i ddod i'r gell. Dr Jackson sydd ar ddyletswydd heno, nid Dr Smallfoot.

Petai Dr Smallfoot ar ddyletswydd mi allwn i drin a thrafod cynnwys y ffeilia. Mae Dr Smallfoot yn dallt. Mae Dr Smallfoot yn fy nallt i'n well na Dr Jackson. Ddeudis i am Dr Jackson fel Dad, do? A Dr Smallfoot fel Buddug Wyn?

Dwi'n diffodd y gola mawr ac yn swatio yn fy ngwely.

Dwi'n gwbod sut i gysgu.

Dwi'n gwbod sut i freuddwydio.

Breuddwydio am Dad.

Dr Henry Jackson ydi'i enw fo.

Breuddwydio am Buddug Wyn.

Dr Smallfoot ydi hi.

Dr Amanda Smallfoot â'r gwallt melyn hir, y llygaid glas a'r dannadd gwynion. Dim ond yng nghwmni Dr Smallfoot y bydda i'n cael gadael y gell yma. Oni bai am hynny, mi faswn i wedi mynd yn wallgo yn y lle 'ma ers blynyddoedd.'Nenwedig a finna wedi bod yma rŵan ers cymaint o amsar.

A phan fyddwn ni'n dau yn mynd i breifatrwydd ei swyddfa, mi fydd pob atgof am ddŵr ac Abram Ifans ac Owan Bach yn diflannu, ac mi fyddwn ni'n troi'r gola i lawr yn isal, isal ac mae hynny'n taflu cysgodion ar y walia.

Mi fydda inna'n cofio cyfnod arall, gola arall a chysgod arall.

Ac mae Amanda'n codi'i gwallt melyn hir, a'i glymu'n uchal tu ôl i'w phen.

Yn boni-têl.

Yn sbeshal i mi.

Bitsh!